NÃO SE ILUDA, NÃO

ISABELA FREITAS

Copyright © 2015 by Isabela Freitas

PREPARAÇÃO
Kathia Ferreira
Thadeu Santos

REVISÃO
Tamara Sender
Vania Santiago

CAPA E PROJETO GRÁFICO
Daniel Sansão / Contágio Criação

DIAGRAMAÇÃO
Julio Moreira

FOTO DA AUTORA
Leo Aversa

CIP-BRASIL. CATALOGAÇÃO-NA-FONTE
SINDICATO NACIONAL DOS EDITORES DE LIVROS, RJ

F936n

    Freitas, Isabela
    Não se iluda, não / Isabela Freitas. - 1. ed. - Rio de Janeiro: Intrínseca, 2015.
    272 p.; 23 cm.

    ISBN 978-85-8057-768-6

    1. Técnicas de autoajuda. 2. Autoestima. I. Título.

15-23474   CDD: 158.1
                                 CDU: 159.947

[2015]
Todos os direitos desta edição reservados à
Editora Intrínseca Ltda.
Rua Marquês de São Vicente, 99, 3º Andar
22451-041 – Gávea
Rio De Janeiro – Rj
Tel./Fax: (21) 3206-7400
www.intrinseca.com.br

Para todos que já tiveram seus corações partidos...

ÍNDICE

20 Regras para não se iludir — 9

prólogo — 13
Vem. Pode doer. A dor já não me assusta

capítulo 1 — 21
Diz que não acredita no amor pra ver se o amor acredita nela…

capítulo 2 — 41
Não há ferida funda o bastante que uma melodia não possa curar

capítulo 3 — 67
Em caso de dor, desapego por favor

capítulo 4 — 93
Coração fechado não se decepciona. Mas também não se apaixona

capítulo 5 — 121
Sempre fui minha maior decepção

capítulo 6 — 143
Eu precisava te esquecer, só não quero

capítulo 7   157
O perfeito é monótono. E contos de fadas às vezes dão sono

capítulo 8   193
Se você pudesse optar por não ter sentimento algum... Será que ainda sentiria? Sim!

capítulo 9   213
Caiu? Levanta. Terminou? Recomeça. E para todas as outras coisas... sorria

capítulo 10   235
O meu forte não é falar. É sentir

capítulo 11   255
Você não precisa de ninguém para continuar vivendo

agradecimentos   269

20 regras para não se iludir

1. Não importa quantas chances você está disposto a dar a uma pessoa. Quem te quer mesmo, vai agarrar a primeira. Ou, no máximo, a segunda.

2. A imaginação é nosso pior inimigo. Mas sonhar é essencial.

3. Sonhar não é a mesma coisa que se iludir. O sonho empurra você na direção dos seus objetivos. A ilusão paralisa, porque faz você acreditar que já chegou lá.

4. Não é porque alguém te machucou um dia que você deve machucar todos os que cruzam o seu caminho. As pessoas são diferentes.

5. Quanto mais cinzento o seu passado, mais cores você terá para colorir o futuro.

6. Nunca desista de fazer o certo. Se der errado, você vai sempre poder bater no peito e dizer "eu fiz tudo o que pude".

7. Ao perder alguém, é hora de se encontrar. De se reinventar. De se apaixonar por você.

8. Assim como um herói de guerra exibe suas medalhas, devemos exibir com orgulho as cicatrizes do nosso coração. Passou.

9. Não acredite nas pessoas que dizem que seus sonhos são impossíveis. É que elas não têm capacidade de sonhar.

10. Quem ama vai atrás. Mesmo que se sinta um pouco idiota. Onde tem orgulho fica difícil existir amor.

11. A mentira pode te proporcionar sentimentos bons. Por um tempo. Ela é uma bomba-relógio. Tique-taque.

12 Não se preocupe em encontrar a pessoa ideal. Procure ser a pessoa ideal para si mesmo e você acabará sendo a pessoa ideal para alguém.

13 Insistir em um relacionamento que não dá certo é o mesmo que dizer a si próprio: "Eu não sou capaz de ter algo melhor". E sabe de uma coisa? Você é capaz, sim!

14 Ciúme e desconfiança não seguram ninguém ao seu lado. A melhor corrente é a liberdade para voltar pro seu abraço.

15 Não tenha medo de sair da normalidade, da rotina. Os momentos mais inesquecíveis da sua vida acontecerão durante uma insanidade.

16 Ninguém precisa ser forte o tempo inteiro. Chore. De raiva, de amor, de saudade. Lágrimas são pedaços de sentimentos se esvaindo de nós. Nosso corpo às vezes não suporta tanto.

17 Quando você entender que a decepção acontece e é inevitável... você vai ser mais feliz. E se despedir, com um sorriso no rosto, assim que alguém quiser sair da sua vida.

18 Querer sentir não é motivo suficiente para um sentimento existir.

19 Você vai errar. Feio. Mas saiba assumir seus erros. Essa é uma qualidade encantadora. Desculpas não mudam o que já aconteceu. Porém, dizem bastante sobre o caráter de alguém.

20 A vida não é um conto de fadas. Deixe de imaginar situações e diálogos perfeitos e apenas viva. E, cá pra nós, a vida pode ser muito melhor do que uma história convencional com um final feliz.

PRÓLOGO

Vem.
Pode doer.
A dor já não
me assusta

Fechei rapidamente a porta atrás de mim e me certifiquei de que ninguém me vira entrando no banheiro das mulheres do terceiro andar. Soltei o ar que poupei enquanto subia correndo os três lanços de escada.

Não podia ser, não podia estar acontecendo comigo. Eu sabia desde o início que era má ideia. Como pude ser tão inocente, me deixar levar pelo momento? Eu não nasci para isso. Besteira. Pessoas não nascem predestinadas para nada. Porém, naquelas circunstâncias, eu tinha o pressentimento de que sim, eu estava predestinada a algo: me ferrar. Me ferrar de todas as formas, em todas as situações. Essa era uma delas. Afinal, todos os dias uma bomba cai do céu e atinge uma menina estúpida que, aleatoriamente, passeia por ali. A menina da vez era eu, caso não tenha ficado claro. E, só para constar, eu parecia estar com um alvo na cabeça que dizia "Me atinja. Estou precisando de um pouco de emoção na minha vida".

Dei uma espiadela no espelho e vi que meu rosto estava inchado de tanto chorar. Os olhos vermelhos, com resquícios da maquiagem preta. A calça rasgada nos joelhos, revelando um sangue vivo que saía da ferida aberta devido ao tombo. Não me importei com o machucado, essa era a menor das minhas preocupações no momento.

Eu estava um lixo.

Tranquei-me em uma das cabines e me sentei da forma mais humilhante possível no vaso sanitário, com os braços ao redor das pernas. Observei todos aqueles rabiscos na porta enquanto soluçava e me perguntei quando as coisas começaram a ficar tão difíceis assim. Eu me lembrei de ter entrado naquela mesma cabine, dois meses atrás, e de ter rabiscado dois nomes. Ali estavam os nomes, ferindo meus olhos, com um coração brega ao lado. Humilhante.

Eu não me canso de ser patética, sério. Mas vamos lá, naquela ocasião eu tinha uma caneta esferográfica dando sopa na bolsa e tempo de sobra, pois matava aula de direito ambiental daquele professor que cospe ao proferir palavras terminadas em s. Então, perdoem a atitude de uma menina de doze anos apaixonada, mas acontece nos melhores banheiros. Certo?

Olhei para os lados à procura da bolsa e me lembrei de que a havia deixado cair no meio da confusão. Droga. Mais essa! Apalpei meus bolsos e encontrei as chaves de casa. Bingo! Finalmente aquele chaveiro meio ridículo que o Bernardo, meu irmão, trouxera para mim da sua viagem para a Disney serviria para algo. Uma caneta em forma de chaveiro do Mickey. Eu precisava descontar minha raiva em alguma coisa. Nem que fosse numa inocente porta de banheiro.

Risquei os nomes. E observei por um tempo, calada, os riscos que se embolavam e deletavam da minha mente tudo aquilo que eu imaginara. Como tudo pôde mudar em tão poucos dias? Hoje, mais cedo, eu flutuava de tanta felicidade, depois de receber aquele e-mail. Cheguei a pensar que, finalmente, as coisas estavam se ajeitando para mim e — apesar da minha insegurança — ficariam melhores do que minha imaginação havia planejado. Meus pais se orgulhariam, com certeza. Meus amigos apoiariam. Eu poderia contar a todos a verdade que escondera por tanto tempo. Todos se espantariam com minha coragem.

Eu tinha os meus segredos e, honestamente, eles nunca haviam prejudicado ninguém. Tudo o que fizera tinha sido, de certa forma, para ajudar as pessoas e a mim mesma. Era essa a minha intenção desde o início. Eu precisava de um lugar para desabafar e, bem, de repente me vi cercada de pessoas que queriam o mesmo. O que mais eu poderia fazer? Certamente, desaparecer do mundo não estava entre as opções. Então, fui em frente.

Relutei um pouco, mas estávamos falando do meu sonho. E quando se trata de sonhos devemos ir até o fim. Mesmo que no caminho percamos um pouco da força e tudo pareça inútil, a ponto de acharmos que não fazemos diferença. Um pingo do oceano faz diferença quando alguém sedento aparece. É mais ou menos por aí.

O que eu fiz de errado? Nasci. Ha-ha. Fazer piada em momentos de desgraça, um dom natural.

O engraçado é que sempre me imaginei como as mocinhas dos filmes, mas nunca me coloquei nas cenas cruciais — e tristes. No *Filme da Isabela* só haveria cenas felizes, recheadas com uma trilha sonora de arrepiar. Em que momento achei que fosse acabar trancada na cabine do banheiro feminino da minha faculdade, chorando, com as calças rasgadas, o joelho sangrando, o cabelo arrepiado, enquanto soluçava e — novamente — chorava, tentando encontrar uma razão para toda essa confusão? Nunquinha!

Sempre me imaginei ao redor dos amigos, sorrindo descontraída, lançando um olhar sedutor (ou algo parecido) ao meu alvo da vez. Mais um dia comum na faculdade. Mas, é claro, nada na minha vida é rotineiro assim. E aqui voltamos ao impasse. É chegada a hora de a mocinha tomar uma atitude e dar a volta por cima.

Mocinha? Ah... Eu disse mocinha? Esquece. E lá estou num momento de mocinha? Estou mais para uma vilã com uma verruga na ponta do nariz que, após ser humilhada publicamente na frente de todo o reino, decide partir para um exílio em uma caverna distante. Só que minha caverna é uma cabine de banheiro da faculdade e, bem, eu não posso viver aqui. Já que: 1) não há comida; 2) há água no vaso sanitário, ok, mas eu acho que prefiro morrer de sede a beber a água onde um dia a Marina, aquela vaca, provavelmente já fez um xixi; 3) quanto ao tópico 2, eu sei que a água não é a mesma, porém sempre pensei que descarga é um xixi filtrado voltando; 4) não há um computador, e todos sabem que nos últimos meses ele tem sido meu melhor amigo.

Por outro lado, não vejo motivos para sair da cabine, de verdade, e mesmo que eu saia: 1) as pessoas jogariam tomates na minha cara; 2) eu não tenho mais amigos; 3) eu não tenho mais ninguém; 4) céus, eu estou sozinha!!!!!!; 5) melhor morar na cabine do banheiro. Decidido.

Está tudo perdido mesmo. Tudo acabado. Hoje foi a gota d'água, e sabe o que é pior? O pior não é ser humilhada de todos os modos nem se sentir no subsolo do mundo. O pior é tudo isso acontecer de uma vez só e não existir sequer uma pessoa para te resgatar e estender as mãos.

Sei que sou uma garota de carne e osso quando coisas desse tipo acontecem. Pois posso sentir a dor rasgando minha pele aos poucos. Com isso me sinto mais viva que nunca. A dor nos mostra que estamos aqui e que precisamos superar todos os problemas para, assim, seguirmos mais fortes. Pode doer, anda. Que doa! As lágrimas caem e gosto de pensar que cada lágrima derramada é um pedacinho da dor que se vai. E, lentamente, esvaio do meu corpo todos os problemas.

Neste momento escuto a porta do banheiro se abrindo e, em seguida, passos no chão de mármore e uma respiração ofegante. Encolho-me no vaso sanitário, com os pés para cima, e procuro não soltar um pio. Quem será? Tomara que seja alguém que não tenha visto nada do que aconteceu comigo. Tomara que seja apenas uma caloura sem noção, que não sabe que o banheiro do terceiro andar é somente para funcionários. Claro. Ninguém mais conhece esse meu esconderijo secreto, a não ser alguém que não saiba para onde está indo. Tranquilo. Vai ficar tudo bem.

De repente, percebo que a pessoa para bem diante da porta da cabine onde estou. Uma batida. Ouço uma voz bem conhecida:

— Pode sair daí. Eu sei que você está escondida e as coisas não vão passar desse jeito. E, cá entre nós, eu sou tudo o que resta a você no momento.

CAPÍTULO 1

Diz que não acredita no amor pra ver se o amor acredita nela...

 http://qualseraonome.com.br

Oi. Meu nome é... Er. Epa. Vocês não precisam saber o meu nome. Sabe aquele lance de quem vê cara não vê coração? Pois é, aqui vocês só verão o coração mesmo.

A verdade é que eu criei este blog porque preciso de um lugar para desabafar e, como me tornei uma adulta preguiçosa demais para escrever diários (céus! Papel e caneta não conseguem acompanhar o fluxo dos meus pensamentos), achei que a internet seria uma saída. Uma ótima saída, aliás.

Sei que provavelmente ninguém vai acessar esta página mesmo (que, por enquanto, se chama qualseraonome.com.br), o que, de certa forma, me tranquiliza, porque não gosto da ideia de pessoas lendo as coisas que escrevo-o-que-penso--e-não-falo-em-voz-alta. Então vamos lá.

Hoje eu tive um sonho muito esquisito. Esquisito mesmo. Sempre tenho sonhos esquisitos, essa é a verdade. É intrínseco à minha natureza ter sonhos com pessoas com os braços torcidos para trás e que falam por códigos — como aqueles códigos de falar palavras ao contrário. Mas é que dessa vez o sonho foi brabo. Sonhei que beijava o meu melhor amigo.

O que isso quer dizer? Quer dizer alguma coisa? Perguntei ao Google o que significa, mas me recuso a acreditar no que li. Desde quando beijar o melhor amigo quer dizer que devo jogar em urso no jogo do bicho? Eu, hein?! Ainda existe jogo do bicho? Ah. O fato é que eu beijei. Beijei muito. E, graças ao Senhor lá de cima, tudo não passou de um sonho. Porque eu e o P. não temos nada a ver. Nadinha.

(Só para deixar claro, não que eu ache que alguém vá ler isto aqui ou algo do tipo, mas vou colocar só as iniciais, como precaução, para o caso de alguém descobrir esta minha página. Um sigilo, se é que vocês me entendem.)

Tem também minha prima, que eu concordei em trazer em uma viagem comigo e que, na real, eu não suporto. Somos tão diferentes... Tão... Tão... Ah. Ela é uma vaca. Uma vaca mesmo. Daquelas meninas que parecem ter sempre saído de uma passarela. E não é inveja, juro que não é. Se ela fosse só bonita, tudo bem. Só que ela é bonita, dá em cima de todos os homens que cruzam sua frente e se, por acaso, um desses que cruzam a sua frente é — sei lá — o teu namorado, ela dá em cima também. Acreditam que durante nossa viagem eu podia jurar que ela deu em cima do meu irmão, o B.? E eles são assim, tipo primos, entende? Tá. Tá. Ano passado eu beijei (não só beijei) o meu primo, mas ele era um primo de quarto grau, ok? E isso pode. Ah, pode sim.

Mas a minha prima não pode.

E, na boa? Minha vida está tão tranquila que eu estou procurando motivos para reclamar na internet.

Postado no dia 25 de janeiro às 18:21

 0 COMENTÁRIO. COMPARTILHE ›

Calor. Tudo o que me disseram que eu encontraria por aqui eram temperaturas altas e gente animada. E, tudo bem, foi um bom conselho, ótimo, pois eu tenho a estranha mania de carregar em minhas malas de viagem roupas que nunca usarei, como um cachecol fofo com estampa de caveirinhas ou até aqueles suéteres de caxemira que os pais da Amanda trouxeram da Europa para mim. Nunca se sabe quando um suéter de caxemira pode salvar sua vida, não é mesmo? O problema é que estamos na Bahia. E suéteres de caxemira não combinam nem um pouco.

Começo a sentir o sol incomodar minha pele como pequenas alfinetadas em algumas partes do corpo. Para quem não sabe, sou alva (famosa cor de parede), puxei à família branquela do meu pai e de vez em quando tento mudar isso. Tento. Mesmo que para isso sejam necessários alguns dias (no mínimo sete) exposta ao sol, molhando-me de vinte em vinte minutos na água salgada (diz minha mãe que isso faz a gente ficar morena mais rápido!). Só assim eu voltaria com alguma corzinha do Nordeste brasileiro.

Abro os olhos e observo ao meu redor. Onde foi parar todo mundo? Procuro a Amanda, que há minutos cantarolava uma música do Jason Derulo ao meu lado, e não a vejo. Calor, calor demais. Dou alguns passos em direção ao mar, que hoje está incrível, de um azul vívido, e aí escuto uma voz por trás de mim.

— Isa.

Viro, desnorteada. Então eu não estava sozinha... claro que não! Sabia que não estava ficando louca. Ele também está aqui.

— Pedro... Você! Achei que estava sozinha na praia. Viu a Amanda por aí? Onde foi parar todo mundo? Eu dormi? — pergunto enquanto desenho estrelas com as pontas dos pés na areia.

Céus. Sempre que fico nervosa desato a falar que nem louca. Mas por que estou nervosa, afinal? Acho que o principal motivo é que não esperava me deparar com o abdômen (gostoso) do Pedro assim, de repente. Não é todo dia que aparece na nossa frente um espécime perfeito do sexo masculino. Em uma praia paradisíaca do Nordeste. Molhado. Com gotículas de água salgada escorrendo pela barriga sarada. Com o cabelo bagunçado, os olhos azuis brilhando e um sorriso debochado que eu conhecia muito bem.

Pedro Miller é meu melhor amigo, não me levem a mal. Eu não tenho interesse nenhum nele, não mesmo! Um canalha da pior espécie, se assim posso defini-lo.

Ele afasta os cabelos do rosto e pergunta:

— Tá nervosa, é?

Penso por alguns segundos em como ele sempre sabe o que se passa na minha cabeça. Será que ele sabia que, no meu íntimo, eu o parabenizava por todos aqueles meses dedicados à academia? Não, não. Ele não pode saber disso. Nunca! Balanço a cabeça como se isso fosse afastar ou reorganizar meus pensamentos.

— Achei que tinha acontecido alguma coisa, só isso. De repente, abri os olhos e não vi mais ninguém na praia. Onde foi parar todo mundo?

Ele me espia com os olhos semicerrados, analisando cada pedacinho de mim. Começo a me preocupar com o que estou usando. Respiro aliviada ao perceber que, sim, está tudo em ordem. Afinal, eu também me dediquei um pouquinho a essa viagem. Quer dizer, se ficar cinco meses sem beber Coca-Cola Zero e sem comer doces não é um sacrifício, o que mais será? Sem mencionar a parte em que trabalhei duro como "quebra-galho" na empresa da minha mãe, ao lado do porre do meu irmão, só para ganhar uns trocados e conseguir comprar algumas roupinhas novas.

Ah, essa viagem me custou caro. Custou, sim.

— Deixa todo mundo pra lá... Quero conversar uma coisa, só entre nós dois... — começa a dizer.

E se aproxima e envolve os braços (fortes e musculosos) ao redor da minha cintura. Lanço um olhar de interrogação para ele e tudo parece girar. O que está acontecendo? Minha Nossa Senhora dos Desajeitados, me ajude. Eu não sei o que fazer. Até minha respiração parece fora de ordem. Inspira, expira, inspira, não pira. Tento me desvencilhar.

— Pedro, o que é isso? Me solta, eu, hein!

Ele me encara sério.

— Será que você não percebe? Só você não percebe, Isabela...

Eu queria morrer. É sério. Será que ele escutou meus pensamentos sobre todo aquele lance da barriga sarada e coisa e tal? Pedro, se estiver escutando, escute isto agora: era brincadeira. Eu não me senti atraída por você, nem sequer por um lapso de segundo, tá, talvez por um lapso, mas bem pequeno. Esquece isso, esquece, esquece. De sofrimento na minha vida estou farta, e já que você é um leitor de pensamentos, vai saber disso também.

Olho para ele, esperando alguma reação. Perfeito! Ele não responde aos meus pensamentos. Em vez disso, afasta os cabelos louros do meu rosto e os segura.

— Isabela, sempre foi você.

Fico apavorada. Eu sempre quis escutar isso de alguém. Espera aí, sem julgamentos! Todo mundo já se pegou imaginando como seria se aquele carinha pelo qual você sempre foi apaixonada de uma hora pra outra se tocasse de que sempre te amou, coisa e tal. Mas o Pedro? O Pedro? Na-na-ni-na-não. Está tudo errado.

Me atenho a olhar no fundo dos olhos dele esperando uma resposta, esperando um sorriso, ou qualquer indício de que aquilo não passa de uma grande brincadeira. Nada. E não sei por que sinto minhas pernas bambearem, como se a qualquer momento eu fosse despencar feito um saco de areia tentando ficar em pé. Resolvo partir para o humor.

— Claro que sempre fui eu. Sou sua melhor amiga e única pessoa no mundo que gosta de você, mesmo sabendo de todas as suas características... — dou uma pausa — *odiosas*.

Ele sorri.

— Então sou eu mesmo — continuo. — Agora pode parar com a cena, eu sei que você está fazendo uma pegadinha, ou sei lá como chamam isso hoje em dia, e eu não estou achando graça nenhuma. Veja bem, Pedro, meu irmão, o Bernardo, ele também está aqui e se te pegar encostando um dedo em mim, nem que seja o mindinho, ah, você vai ver. O Bernardo joga basquete, eu já disse, né? E quem joga basquete é forte. Ah, é muito forte.

Paro de falar e respiro. Não está adiantando. Ele se aproxima ainda mais e eu consigo sentir seu hálito de perto. E aí, nada mais importa. O calor, a cena clichê e ridiculamente arquitetada, o sol que queima minha pele. Sinto o abdômen dele colado ao meu. Me arrepio todinha. Não podia ser... Estamos a alguns milímetros um do outro quando ele diz:

— Pelo menos uma vez... Vê se consegue parar de falar.

E me beija. E eu, não sei por quê, correspondo com intensidade. Puxo meu amigo para perto de mim como se não quisesse nunca mais soltar. Sinto suas mãos firmes nas minhas costas, me segurando como se respondesse que não vai a lugar nenhum. Todo meu corpo estremece como se fosse explodir de tanta euforia e não entendo muito bem o porquê. Ah, é isso? Toda uma vida sofrida com relacionamentos fracassados, corações despedaçados, para eu terminar dando um beijo no meu melhor amigo, que, por sinal, é *apenas* o cara mais canalha de todos? Que tipo de pessoa eu sou?

Sinceramente. Fim de carreira.

Súbito, um jato de água fria na cabeça. Abro os olhos, assustada. O que está acontecendo por aqui? Eu, hein?! Não se pode nem mais beijar em paz. Olho ao redor e vejo a Amanda novamente ao meu lado, com seus enormes fones de ouvido da Beats, recém-adquiridos, rindo de mim. Aí entendi tudo. Olho com desprezo para cima e vejo o responsável pelo balde de água fria.

Pedro.

Por exemplo: não é horrível quando você sonha durante toda a noite que namora o melhor amigo do seu namorado (supernormal!), daí acorda, nota que tudo não passava de um sonho mas o mal-estar continua? Agora imagine acordar, olhar para o lado e dar de cara com o objeto do sonho. O objeto da sua vergonha. Aquela pessoa que sua mente insistiu em colocar em uma posição no mínimo estranha durante o sonho. Pois é. Minha vida funciona assim. Eu não tive nem tempo para respirar e já tenho de encarar aqueles olhos azuis sorrindo para mim.

— Ridículo. Não tem mais nada para fazer, não? — disparo.

E coloco meus óculos de sol, pois ninguém precisa perceber que estou abalada.

— Até tenho — ele diz, enquanto se senta ao meu lado sobre a canga colorida —, mas você estava num sono tão profundo que não resisti. Afinal, estamos na praia, branquela! Aqui não é lugar para dormir, não. Você inclusive precisa pegar um sol.

Bufo fazendo alguns fios dos meus cabelos se levantarem.

Ok, concordo que praia não é lugar de dormir, mas, por favor, ontem, no dia anterior à nossa viagem, passei a noite praticamente em claro lendo minha coleção favorita — *A Mediadora* —, porque fico ansiosa antes de viagens e não consigo dormir. Ele não sabe disso, como também não sabe que, no avião, peguei uma poltrona entre o meu irmão, o Bernardo, e a minha prima, Nataly, e tive de aguentar os dois discutindo a viagem toda sobre aquele seriado que todo mundo viu, menos eu, *Game of Thrones*.

Passo os braços por cima do Pedro e pego o protetor solar que estava ao lado dele. Espalho o produto no corpo e respondo:

— Eu nem estava dormindo, só pra seu governo.

— Fala sério, Isabela. Você estava tendo aqueles tremeliques que tem quando sonha, fiquei até preocupada — comenta Amanda, que estava sob um guarda-sol desde que chegamos à praia. — Como uma pessoa consegue dormir debaixo de um sol desses? Aliás, como vocês conseguem ficar debaixo de um sol desses? Aliás, você estava sonhando com o quê? Tinha um sorrisinho idiota na cara...

Sorrisinho idiota na cara? Oh, não, não. Ninguém nunca saberá o que eu sonhava. Nós não temos controle sobre nossos sonhos, certo? Vi uma vez, em um documentário no Discovery Channel, que existe uma forma de manipular o sonho das pessoas. Só podia ser isso, eu estava sendo manipulada por *aliens*. *Aliens* malvados, perversos. Que costumam dar uma passada nas praias do Nordeste em momentos de tédio.

— Sonhando? Há! E-eu... S-sonhando... Imagina.

— Gaguejou. Aí tem — começa Pedro. — E quem era o príncipe encantado da vez?

Era você, penso. Que de príncipe encantado não tem nada. Uma pena.

— Príncipe nenhum. Já abandonei essa ideia faz tempo, eu hein... — Olho para um grupinho de pessoas sentadas diante de nós e avisto o Gustavo entre elas; meu ex-namorado.

O Pedro parece perceber para onde dirijo o olhar e acena com as mãos, como se dissesse "deixa pra lá".

— Ficou sabendo que ele está se gabando pra todo mundo que o papai deu um carro novo só pra ele viajar? Um bosta, se quer saber minha opinião.

Ele está se referindo ao Gustavo, claro. Apesar de já fazer um bom tempo que terminamos, é impossível deixar de topar com ele. Estudamos na mesma sala da faculdade e frequentamos os mesmos lugares. Não que eu tenha algum problema em encontrá-lo por aí, mas geralmente ele é tão desagradável que só sua presença já nos deixa desconfortáveis.

— Ele precisa disso, Pedro. O que ele vai dizer para as garotas? Olha só como sou inteligente?! — zomba Amanda. — Isso nunca vai acontecer. O máximo que sai da boca dele é algo relacionado a carros, futebol e mulheres. Então vamos relevar.

Lanço um olhar de cumplicidade para a Amanda. Eu não poderia ter uma amiga melhor. Se é que se pode dizer dessa forma. Observo como somos diferentes e iguais ao mesmo tempo. Ela está sentada em uma cadeira de praia, com um maiô verde e óculos de sol marrons. Os cabelos pretos, lisos, presos em um rabo de cavalo feito provavelmente às pressas, sem se importar muito com a aparência. Ela lê a revista *Superinteressante* e mesmo em um ambiente de férias está envolta por aquela atmosfera de inteligência fora do normal.

Por outro lado, temos, bem... eu. Eu, que passei alguns — muitos — meses planejando esta viagem. Que comprei dois pares de biquíni cortininha (um rosa, o outro preto) e deixei de comer algumas coisas para ficar em forma (tá, eu tentei!). Eu, que, sei lá por quê, esperava que algo extraordinário acontecesse nesta viagem, como se minha vida dependesse disso. Que queria sair da normalidade, sabe? Eu, que passei um bom tempo dando uma checada no espelho antes de vir para cá. E que agora, ao notar que estou cercada pelos mesmos idiotas de sempre, percebo o quanto isso é inútil e fútil. Se querem mesmo saber, eu preferia ser mais como a Amanda.

Falo com o Pedro:

— Você viu a Nataly por aí? Ela sumiu e eu meio que sou responsável por ela nessa viagem.

Nataly, como já disse, é minha prima. Ela foi a condição para que meus pais me dessem essa viagem de presente. "Você pode ir. Mas vai ter que levar sua prima. Ela está tão sozinha... Acabou de se mudar para Juiz de Fora... Precisa fazer novos amigos." Tadinha, nossa, coitadinha. Minha prima usava *cropped* com saias que mais pareciam cintos para ajustar vestidos. Então me perdoem se não tenho pena nenhuma dela por se sentir sozinha. Ela até merece. Mas tudo bem. O que a gente não faz por uma viagem para a Costa do Sauípe, né?

A Costa do Sauípe, ao contrário do que muitos pensam, não é uma cidade do litoral nordestino. É um empreendimento de cinco *resorts* e cinco pousadas chiquérrimos, situados em uma rota ecológica preservada. A paisagem daqui é dominada por coqueirais e pelo verde. E eu adoro isso! É como se estivéssemos no meio do mato, porém com todos os recursos e mordomias possíveis à disposição. Cada *resort* tem a sua piscina e todas elas são diferentes entre si. Os hóspedes podem se hospedar em um *resort* e se banhar na piscina do outro. Não existem "divisões" na Costa do Sauípe. Aqui você anda livremente por todo o espaço.

Minha piscina preferida é uma de várias curvas com pontes que passam por cima dela. Lembra um pouco aquele rio preguiçoso que havia na maioria dos parques aquáticos, sabe? No centro dela fica uma ilha interligada pelas pontes onde há um pedaço de mata com — adivinha? — mais coqueiros. O melhor de tudo é que a praia fica a apenas alguns metros. Elas se ligam por um caminho de pedrinhas e em cinco minutos você se depara com seis quilômetros de praia selvagem, areia bem branquinha e água límpida. A não ser que chova. Mas isso não vai acontecer, vamos torcer.

O lugar é paradisíaco, sinceramente.

A Costa do Sauípe é famosa por sediar grandes eventos, como nesta época do ano. É quando os hotéis se enchem de estudantes universitários de todo o país à procura de um pouco de diversão no Sunshine Festival (festival de verão que se resume a DJs internacionais que tocam na praia, algumas bandas e tendas com os mais diversos confortos, por exemplo, uma tenda de massagens que eu pretendia visitar qualquer dia desses).

— Acho que vi a Nataly andando com a Marina — a voz de Pedro invade meus tímpanos e olho para ele, espantada. — Não me culpe, eu sou apenas o mensageiro.

— Já volto.

Saio em disparada procurando uma piriguete com biquíni enfiado na bunda em meio à imensidão de pessoas. Quer dizer que a Nataly estava andando com a Marina? A Marina! Que bela amizade para fazer. Deixe-me explicar o que é uma Marina na sua vida. Marina é aquela sua "amiga" que te cumprimenta com um sorriso no rosto, mas que torce para que você quebre a perna enquanto dorme. Marina é aquela menina que sempre critica todos os caras que você arruma, porém assim que tem uma oportunidade lasca um beijo neles. Marina é aquela amiga que não é amiga, mas que você mantém por perto porque tem medo de se tornar manchete no jornal. Então. Rio sozinha.

Aposto que se eu tivesse mencionado para a Nataly que a Marina teve a coragem de ficar com meu ex-namorado na minha frente, no ano passado, essa amizade já estaria mais do que concretizada. A Nataly pode ser minha prima, aquela coisa, do meu sangue, blá-blá-blá. Mas, nossa, que menina atentada! Desde pequena gosta de ver o circo pegar fogo. Não me esqueço da vez que ela contou para o pai que um "homem estranho" havia ligado para a mãe. Assim mesmo, fazendo-se de sonsa. Se ela foi capaz de sabotar a própria mãe, imagina o que faria comigo? Eu, hein!

Avistei as duas perto de um quiosque que servia bebidas alcoólicas, com um monte de garotos em volta. É claro! Por que não pensei nisso antes? Procurar um monte de caras gatos juntos, *voilà*! Elas estariam por perto!

— Nataly! Ei, Nataly! — grito, com esperanças de que ela me obedeça e não faça nenhuma gracinha na frente daquela gente toda.

Que pessoal é esse? Não parece ser da nossa cidade, ah, isso não.

— Prima! Finalmente você apareceu. Estava à sua procura. — Ela sorri, tirando os óculos escuros. — Conheci sua amiga, a Marina. Por que não me apresentou antes? Um amor!

Viro para a Marina e aceno levemente com a cabeça. Seguro o queixo para que ele não caia ali mesmo. Essa vaca é bonita, viu? Ainda mais em um ambiente que favorece seus olhos verdes e seu corpo escultural. Merda. Mil vezes merda. Já é difícil ter uma inimiga. Ainda mais uma inimiga bonita desse jeito.

— E aí, Marina, tá boa? Eu... É... hum... — desvio os olhos dela e viro para minha prima — precisamos voltar ao hotel. Já são quase quatro horas. Precisamos nos arrumar para mais tarde, né? Você vem, Marina?

— Claro! Não perderia Avicii por nada! Nos vemos mais tarde, amiga! — diz Marina despedindo-se de Nataly, claro, de mim é que não era.

Nataly dá um abraço apertado nela e nessa hora eu juro que quase vomito.

— Anda, vamos — digo, enquanto a puxo pelos braços sem delicadeza nenhuma. — E vê se para de sumir da minha vista assim, viu? Sou responsável por você nesta viagem e você tem apenas dezenove anos, por isso pode começar a me obedecer.

— Tá bom, chata — responde, revirando os olhos. — Eu só estava fazendo novas amizades! Como sua mãe disse para eu fazer.

Penso em responder que ela deveria fazer amizade com pessoas mais interessantes, mas isso não me parece relevante. Afinal, Nataly é bem a cara da Marina. De verdade. Mesmo que eu não incentivasse a amizade, mais cedo ou mais tarde elas se conheceriam e se veriam como espelho uma da outra. Então, que fosse logo. Pelo menos ela não estava tentando roubar *os meus amigos*.

— Achou a prima perdida? Podemos voltar ao hotel? — pergunta a Amanda assim que nos vê subindo da praia.

Ela e o Pedro já haviam empacotado todas as nossas coisas e a areia aos poucos se esvaziava para o evento que haveria mais tarde.

— Achei. Vamos logo pro quarto porque estou toda pinicando dessa areia... — começo.

— Fala a verdade — me interrompe Pedro.

Olho para ele como quem não entende o que ele diz... Ele explica:

— Você está ansiosa para mais tarde.

Verdade. Não que eu seja fã do Avicii ou coisa e tal. Porque *eu não sou*. Mas a banda que vai abrir o show do Avicii é ninguém mais ninguém menos do que OneRepublic. Uma das minhas preferidas de todos os tempos. E, é claro, parte de mim quer estourar de tanta felicidade e ansiedade. Eu estou me mantendo quieta sobre esse fato, até porque só o ato de falar sobre isso me causa arrepios, mas é claro que o Pedro sabe. Ele sempre sabe, afinal, é também uma das bandas preferidas dele.

Lanço um olhar satisfeito para ele.

— *All we are...?*

— *...Is everything that's right* — ele completa.

— Se eles não cantarem essa, eu juro que corto meus pulsos. Com uma faca cega, sério.

— Relaxa, branquela. Eles não são doidos... Não fica ansiosa. Vai ser como você sempre sonhou — ele diz e passa os braços em volta dos meus ombros.

Amanda e Nataly nos lançam olhares repreensivos. É claro que elas não entenderam nossa menção a uma das músicas mais lindas do OneRepublic. Se eu estou ansiosa? Meus nervos estão explodindo. Eu sabia que algo grandioso me esperava esta noite. Só não sabia o quê...

Depois de chegar ao hotel e tomar um banho relaxante, deito na minha cama e abro o notebook. Amanda está começando o seu banho agora e Nataly desceu para fazer um lanche (sim, estou dividindo o quarto com elas). Isso me dá meia hora sozinha. Sabe, sempre gostei de escrever. Escrever é como uma terapia para mim, os sentimentos vêm e eu preciso colocá-los para fora. Em forma de palavras. Tem um modo mais bonito de sentir? Se tiver, desconheço. É como se o ato de colocar um sentimento em palavras fizesse com que ele se concretizasse.

Há tempos venho pensando em criar um blog, uma página anônima onde possa desabafar sem que ninguém saiba quem sou. A internet é boa nisso. Ela nos faz ter coragem de gritar ao mundo o que estamos pensando. Abro o site para criar o blog. Penso duas vezes. Será que devo mesmo? Ninguém vai se interessar pelo que escrevo. Ei, mas não é isso que quero? O blog vai funcionar como um diário on-line. De mim para mim.

Tento me concentrar para encontrar um nome, mas o máximo que me vem à cabeça é "A garota do blog", como em *Gossip girl*, uma das minhas séries preferidas. Deixo sem nome, fecho o notebook e, por uns minutos, me permito ficar em total silêncio.

Não adianta. Por mais que nos digam que conforme os anos passam crescemos e nos sentimos como adultos confiantes e cheios de si, eu sempre vou ser aquela menininha que meus pais deixaram na porta da escola no primeiro dia de aula. Com uma mochila rosa da Barbie nas costas, muitos sonhos no coração e uma imensidão de dúvidas e inseguranças.

Toda vez que me vejo diante de uma situação nova, tudo que sinto é uma insegurança gostosa no estômago. Eu não sei o que vai acontecer. Não saber o próximo passo me faz ter uma esperança tola de que qualquer coisa pode acontecer comigo a qualquer momento. Tudo aquilo que eu sempre quis pode se realizar em instantes. Ou então o meu maior pesadelo pode vir, finalmente, bater à minha porta.

Mas não importa, porque quando nos cercamos de pessoas que nos fazem bem — e tenho algumas perto de mim — nada importa. Você sabe que, apesar das circunstâncias, tudo vai ser divertido e virar história para ser contada um pouco mais tarde. Sendo assim, não carrego mais os problemas comigo, resolvo o que tem para ser resolvido e abandono aqueles que não têm solução alguma. Deixo em "espera" e vou viver.

E vivo.

Posso dizer que estou mais decidida e que meus sonhos não mais se resumem a encontrar o amor verdadeiro. Mas, se me permitem dizer tal besteira, quero ser para sempre insegura e sonhadora. Porque segurança me remete a coisas certas, escritas, gravadas em hieróglifos nas paredes. E eu não gosto de nada tão estático. Viver na corda bamba vale a pena quando você olha para si mesmo e sabe que pode se segurar. Quanto aos sonhos, sei que posso me decepcionar se não se realizarem, porém, se eu não acreditar, quem fará isso por mim?

# CAPÍTULO 2
Não há ferida funda o bastante que uma melodia não possa curar

http://garotaempretoebranco.com.br

Sabe quando você imagina que sua noite vai ser de um jeito e ela se torna o oposto de tudo aquilo que você imaginou? Isso pode ser positivo, caso tenha imaginado algo ruim. Ou pode ser desagradável e você se decepcionar, ao ver que o destino não te reservou tanta felicidade. A verdade é que estou sempre de peito aberto.

E ele veio. Quero dizer, eu beijei um cara muito lindo ontem. Gente, é sério. E, olha, eu juro que não estava pedindo nada disso. Foi ele que, bem, caiu no meu colo. E eu não reclamei! Nunca fui muito fã de conhecer uma pessoa e no mesmo dia já sair beijando como se o mundo fosse acabar. Sempre mantive atitudes mais... amigáveis. Conheço um garoto interessante, me torno amiga dele, descubro tudo sobre ele e só depois me entrego (ou não). A verdade é que há dias em que nos sentimos ocas. Como se não tivesse nada aqui dentro, entende? E quando isso acontece, se envolver com alguém — nem que seja por uma noite — preenche por alguns momentos. Sei da importância dos amores passageiros. Eles passam rápido, verdade, mas sempre deixam alguma coisa boa.

Vocês também se sentem de volta à adolescência depois que dão o primeiro beijo em alguém? Às vezes até me esqueço de que tenho 23 anos. Tudo é poesia. Penso mil vezes antes de enviar uma mensagem e cada vírgula tem um significado. Beijo com um "o" é seco. Beijo com dois "os" é sinal de que se está apaixonada.

Mulher é tudo igual, só muda a paranoia.

Ontem minha melhor amiga tomou um pé na bunda e isso me doeu muito. Não pensei que doesse tanto ver o sofrimento de alguém amado. Tive vontade de pegar seu coração despedaçado e colar parte por parte — pacientemente. Com o meu não tenho essa disciplina. Ele se quebra e eu continuo viva enquanto ele sangra e se esfarinha em mil pedaços. Quando você tem fé na vida, sentir dor não dói tanto. Mas, quando essa dor foge ao controle e não dá para apertar o travesseiro contra a cabeça e chorar até ela passar, dói em dobro.

Se eu pudesse tirar o sofrimento do coração das pessoas que amo, eu tiraria e colocaria no meu.

Sempre tive medo de perder o que não posso segurar com firmeza. Quero dizer, pessoas não são objetos que podemos controlar e guardar numa gaveta. Pessoas não são fantoches para os quais podemos planejar cada fala, cada sílaba, cada movimento. Pessoas não são de ninguém e demoramos um pouco para aceitar que elas possam ir em direções opostas às nossas. Por quê? Porque pessoas mudam. Pessoas têm sentimentos, vontades, e são suscetíveis a erro. É impossível controlá-las.

Postado por Garota em Preto e Branco no dia 26 de janeiro às 6:02

1 COMENTÁRIO. COMPARTILHE >

Samantha comentou:
Descobri seu blog esses dias e estou apaixonada. Não deixe de escrever nunca. Um beijo!

Quando mais nova, eu adorava brincar de Barbie. Sério mesmo, eu tinha dezenas delas! Louras, ruivas, morenas, negras, com os cabelos lisos, enrolados, presos em coque. Usavam vestidos de festa, roupas de praia, roupas para um passeio no parque. Todas eram singulares ao seu jeito. Ainda que a minha preferida fosse sempre a mesma — a primeira Barbie que ganhei na vida e que já estava bem velha — e as outras ficassem sempre por ali, secundárias, esperando sua chance de estrear na brincadeira.

— Isabela, já deixou de lado a Barbie nova que te dei? Poxa, filha. Por que não brinca com as bonecas novas? — minha mãe indagava, curiosa.

— Mãe, eu vou brincar com elas... Mas só depois... — eu começava a dizer e desviava os olhos de volta para a brincadeira.

— Depois quando? Você só brinca com essa boneca velha, ela já está até suja! Olha as novas, lindas, olha só esta daqui — e apontava para uma boneca da Anastasia —, ela é uma princesa! E você adora princesas, certo? — insistia minha mãe.

Eu não respondia. Não sei por que a fixação com minha primeira Barbie, talvez fosse o medo de mudar, o receio de criar uma nova história que envolvesse outras bonecas, ou a cegueira que me tapava os olhos para o que estava reluzindo bem à minha frente. Fato é que sempre que uma amiga ia brincar lá em casa e escolhia uma das minhas bonecas — as que eu deixava de lado todos os dias e às quais não dava tanto valor —, um ciúme incontrolável tomava conta de mim. Elas eram *minhas* e, mesmo que não fossem as personagens principais da minha história, não poderiam ser de história alguma. Isso faz algum sentido? Eu queria mantê-las ali, pacientes, esperando pelo momento apropriado. E eu entendo, agora entendo. Isso não era o certo a fazer.

Não devemos ter ciúme daquilo que não é nosso nem do que já foi e não é mais. Sabe por quê? Porque pessoas não pertencem a ninguém nem a um lugar. Se um dia você achou que Fulano "era seu", você estava errada. Ele era dele, inteiramente, completamente, intensamente, DELE. Cada pessoa é responsável por suas decisões, e se culpar pelas decisões do outro é o maior martírio a que você pode se submeter por aí.

"Ele terminou comigo. E agora? Quero morrer." Não! Não! Por favor, não diga isso. Ele terminou com você porque era a vontade dele. E agora, vamos pensar nas suas vontades? E aquele seu sonho de conhecer Roma? Sua vontade de aprender crochê? Se as pessoas pensassem mais em si mesmas, talvez não se chateassem tanto quando outra pessoa toma uma atitude egoísta.

Relacionamentos são cheios de atitudes egoístas. Tomamos a decisão que é melhor para nós e, provavelmente, caso tomemos uma decisão pensando no outro, lá na frente isso pode vir a ser um arrependimento. É que não podemos traçar nossos passos pensando nos passos do outro. Uns andam mais rápido, outros bem lentamente. Uns dão passadas largas, outros têm passos de tartaruga. E nem sempre queremos ir para os mesmos lugares.

Ansiosa é pouco para descrever o que estou sentindo. No momento, eu me encontro no meio da multidão de milhares de pessoas do Sunshine Festival da Costa do Sauípe, à espera do início do show de uma das minhas bandas favoritas. Seria egocêntrico dizer que ninguém deveria estar com o coração batendo mais do que o meu? Com certeza, não. Eu estou prestes a ter um AVC, tenho certeza disso.

 Espio com o canto dos olhos. Ah, certamente o Pedro também está quase enfartando. Sei disso porque desde que chegamos ele já virou três copos de vodca (pura!), isso em apenas vinte minutos. E tudo bem que a vida promíscua do Pedro tenha se tornado rotineira, mas eu sei bem quando ele se perturba com alguma coisa. E ele está perturbado, porque de minuto em minuto me encara com aqueles olhos azuis e levanta as sobrancelhas. Como quem diz: "E aí? Tá tudo bem por aí? Estou tentando me segurar daqui". Também estou me segurando daqui, amigo.

 Observo a Amanda, que, freneticamente, manda mensagens do celular. Deve ser triste estar a quilômetros de distância de quem gostamos; quero dizer, quando amamos alguém temos vontade de compartilhar cada pedacinho do nosso dia com o outro. E quando a distância toma lugar, o que nos resta são essas telas brilhantes, capazes de nos aproximar um pouquinho da outra pessoa.

Acontece que o Victor, namorado da Amanda, não pôde vir conosco na viagem. "Problemas pessoais", ele disse. Preferi não comentar nada, mas achei isso bem estranho. Que espécie de problema pessoal te faz deixar a namorada sozinha em pleno festival superbadalado? Até pensei que ele poderia estar querendo dar espaço a ela. Sei lá. Só que Amanda Akira não é o tipo de garota que precise de espaço. Amanda Akira também não é o tipo de pessoa que deixe de viajar por causa do namorado.

— Quer um pouquinho? — ela pergunta de repente, balançando o copo quase vazio na minha cara.

— Oi? — respondo, distraída.

— Você estava olhando fixamente pro meu copo, achei que quisesse um pouco — ela justifica, dá de ombros e se prepara para mais um gole.

Penso em falar que, na verdade, eu estava confabulando sobre o relacionamento dela e do Victor enquanto olhava aleatoriamente para um objeto que nada tinha a ver com o assunto, mas acho que até minha melhor amiga me acharia um pouco... estranha.

— Ah, não, obrigada. Eu quero me lembrar de tudo amanhã. De cada momento — resumo, orgulhosa do meu voto de sobriedade.

— Entendo. Você, o Pedro e essa banda! O que tem de mais... — ela começa a dizer, dá mais um gole na bebida e tropeça em cima dos meus pés.

— Ei! — exclamo e a seguro pelos bracinhos finos. — Pega leve, garotinha. Não quero ter que carregar ninguém de volta pro hotel.

Nesse momento olho para a Nataly, que está empoleirada no Pedro. O que eles têm para conversar, afinal? Amanda procura com seus olhinhos pequenos o motivo da minha cara fechada e solta uma gargalhada.

— O que será que vai acontecer neste show, hein? Não quero nem pensar — debocha.

Lanço um olhar cortante para ela. Como assim o que vai acontecer neste show? Nada pode acontecer neste show, porque ele tem de ser per-fei-to. Sem Nataly nem Marina para estragar minha vibe.

— Vai acontecer um show, Amanda. As pessoas vão cantar, pular, se divertir. Eu, pelo menos, farei isso. Você, já não sei, porque se continuar a beber assim e com a sua altura... — faço uma pausa dramática — corre o risco de ser pisoteada.

Ela me olha com um sorriso cínico.

— Ha-ha, falou "a gigante" — e faz o sinal de aspas com os dedinhos. — Você só é três centímetros mais alta que eu, ok? É sério, eu tô com um pressentimento estranho em relação a este show.

— Pressentimento estranho, estranho quanto? — questiono, ressabiada, e sinto que Pedro está com os olhos cravados na nossa conversa.

— Não sei, só... estranho — ela emenda e se dirige para pegar mais um pouco de vodca na garrafa que jaz no chão.

— Ai, Amanda... Se eu já estava quase vomitando de nervoso, agora então! Seus pressentimentos estão sempre certos. Puta merda, por que você foi me dizer isso? E se o OneRepublic não vier? E se eles vierem e eu sofrer um ataque cardíaco e não conseguir vê-los? Meu Deus! E se o meu primo, Igor Tullon, de repente aparecer no palco, roubar o microfone e começar a cantar "Camaro amarelo" pra mim? Amanda!

Eu estava brincando sobre essa última parte, é claro. O Igor Tullon (meu primo que, er... acidentalmente — FOI ACIDENTE, EU JURO! — me levou para o banco de trás do seu carro em um beco escuro) já era passado na minha vida (era mesmo?) e eu só pretendia encontrá-lo em festas de família. Com roupas e tal. Sem carro. Nossa, sem beco também. Mas é que eu não perco essa minha mania de sempre esperar o pior, sabe como é... Evitam-se sustos.

Escuto o som de palmas vindo pelas minhas costas. Clap. Clap. Clap.

— Que imaginação, hein, branquela? Quer dizer que você ainda pensa no seu primo... — É o Pedro.

Claro. Sempre o Pedro Miller. Rei da inconveniência.

— Eu? Ah! Óbvio que não. É só que, das desgraças que podem acontecer hoje, essa seria uma delas — devolvo, porém um pouco insegura e, é claro, ele percebe isso também.

— Hum... Entendi. — Ele dá um sorriso de canto de boca e passa os braços por cima dos meus ombros. — Se for pra te tranquilizar, te garanto que este show vai ser perfeito.

— Claro, estou bem mais confiante agora — concluo, entredentes, tentando me afastar dos braços que me envolvem.

— Não confia em mim? — Pedro insiste e me aperta mais forte.

Começo a suar frio. Por mais que sejamos melhores amigos há alguns anos, ainda sinto como se não o conhecesse bastante em alguns momentos. Agora, por exemplo. Sei que não há uma resposta certa para essa pergunta e que qualquer coisa que eu diga vai virar uma frase com duplo sentido.

— Não — declaro com firmeza e me desvencilho. — Vai lá conversar com a Nataly, vai... Você tá me deixando mais ansiosa que o normal.

Resposta errada. Ele se diverte com minha confusão, ajeita o casaco de couro, passa as mãos nos cabelos negros e diz:

— E eu te deixo nervosa?

— O q-quê? Claro que não! Ai, Pedro. Você se acha muito. — Reviro os olhos.

Nesse momento reparo que a Nataly se aproxima de nós três, acompanhada de ninguém mais ninguém menos do que... Marina.

— Prepara, que lá vem — alfineto, finalizando o assunto, levantando as sobrancelhas e indicando as presenças indesejadas.

Elas estão chamando a atenção de todos ao redor, é sério. Também, pudera, a Marina veste um top verde fluorescente que, em contraste com sua pele cor de jambo, parece um outdoor com luzes que piscam. E, por mais que eu odeie a garota, tenho de admitir, ela é linda. Meio vagabunda, mas linda. Olho para as duas com um sorriso receptivo no rosto e decido que, hoje, vou ser simpática.

— E aí, meninas? Empolgadas? — pergunto e encho um copo de vodca.

Ok. Só um, eu precisava de um pouco de álcool para conseguir aguentar essas duas.

— Nossa! Su-per! A-do-ro essa banda — Marina começa a dizer, enquanto se acomoda entre nós três.

Eu e Pedro nos entreolhamos. Marina? Adora OneRepublic? Desde... quando? Resolvo fingir que estou acreditando nela, porque é óbvio que ela só está querendo aparecer. Como sempre.

— Ah, é? Que legal! Também sou superfã — atiço. — A vocalista é linda demais, né? Sou apaixonada por ela, pelos *looks* que ela veste... Nossa!

Ok, estou mentindo e talvez eu vá pro inferno por isso. Não há vocalista alguma na banda, mas eu queria fazê-la de idiota na frente das pessoas. E, sim, eu sei ser cruel às vezes.

Marina me olha animada e começa a dar pulinhos de empolgação ao falar:

— Ai, eu tam-bém! Ela é uma diva! Não vejo a hora do show começar — prossegue, ajeitando os cabelos, fazendo charme e piscando os olhos verdes para o Pedro.

Argh.

Olho para a Amanda e ela se diverte. Por mais que não seja fã da banda, ela sabe que não há mulher alguma. O Pedro me olha, sorri e sussurra movimentando apenas os lábios: "Você é a melhor". Tento me concentrar e me lembrar de algum momento na minha vida em que me senti tão bem, tão feliz, tão... leve. Não consigo. Acho que momentos como esse são raros, sabe? Momentos em que nosso coração está tão despreocupado e despretensioso que, com um sopro do vento, poderia levitar...

Sei que minha imaginação continua firme e forte trabalhando para que eu idealize cenas perfeitas e que ainda sonho com o dia em que minha vida será como um filme. Mas será que não estou sendo distraída demais? Minha vida já é como um filme. Ora de comédia, ora de terror e, por que não?, de romance. Afinal, aqui estou eu, rodeada por pessoas que amo, prestes a viver um dos melhores dias da minha vida. Não é assim nos filmes? Parei de acreditar que tudo vai sempre dar errado, estou mais otimista, acredito mais em mim, acredito mais na vida. Eu me sinto bem apenas por respirar e poder olhar para um céu estrelado de vez em quando. Mesmo quando as coisas não saem como planejado, aprendi que não posso fazer birra com o destino. Ele sabe o que faz. Ah, sabe.

Olho para o palco, as luzes se apagam. Sinto um arrepio percorrer todo o meu corpo. Olho para os lados e tudo que vejo são luzes. Infinitas luzes levantadas para o céu. Celulares, claro! Todos querem guardar um pouquinho desse dia para a eternidade. Uma mão segura a minha, mas não consigo me concentrar nisso, porque o som do piano invade meus tímpanos e eu juro que vou cair de joelhos bem ali no meio da multidão. Escuto gritos de todas as partes. Gritos ansiosos, pedindo pelo início do show.

Palmas, todos estão batendo palmas no ritmo de uma música. A primeira música. Sigo a multidão e devagar tento bater palmas também. Seguro um pouco o choro. Estou prestes a me debulhar em lágrimas, sei disso. O piano continua a tocar, singular, lá no fundo da minha cabeça. De repente... ele. Ryan Tedder. O vocalista da banda. E começa cantando "Mercy".

Nesse momento eu poderia jurar que meu filme é um dos mais bonitos do mundo. Um braço me envolve, o do Pedro. Ele está fascinado. Acho que nunca vi um sorriso tão verdadeiro em seu rosto. Dançamos ao som da música, apavorados com tamanha felicidade. Os olhos dele estão marejados e eu só consigo me concentrar em não cair desmaiada bem ali entre as pessoas.

All I wanted to say
All I wanted to do
Is fall apart now
All I wanted to feel
I wanted to love
It's all my fault now
A Tragedy I fear

— Branquela! A gente tá aqui! — ele grita no meu ouvido e continua: — Juntos!

Olho para ele e tento esboçar alguma resposta. Nada sai da minha boca. Então eu apenas sorrio. Eu só queria ficar ali para sempre, congelada naquele instante. Uma vez ouvi um comentário em um dos meus seriados preferidos, *One tree hill*, e ele nunca saiu da minha cabeça. É o seguinte: "A maior parte da nossa vida é uma série de imagens. Elas passam pela gente como cidades numa estrada. Mas, algumas vezes, um momento congela e algo acontece. Nós sabemos que esse instante e todas as partes dele viverão para sempre". Eu sempre me perguntei que momento seria esse. Que momentos seriam congelados para a posteridade? De que momentos eu iria me lembrar todos os dias da minha vida? Em que momento eu saberia que era "o momento"? A verdade é que a gente não sabe. Sente.

O tempo parece ter parado. Mal noto que provavelmente já estamos na metade do show. Olho para os lados procurando a Amanda. Havia me esquecido completamente dela. Não reconheço nenhum rosto na multidão ao meu redor e percebo que eu e o Pedro, provavelmente sem notar, andamos um pouco para a frente, porque agora estamos apenas a alguns passos do palco. Posso ver até o suor do rosto do vocalista.

— Pedro! — grito.

Ele não me escuta, claro. Aperto a mão dele, que está na minha cintura, e tento de novo.

— Pedro! Nós nos perdemos de todo mundo! — grito mais uma vez e dessa vez ele está prestando atenção em mim.

— E daí? — diz, me olhando sério, e continua a cantar. — Não está bom daqui?

— Eu, é... Eu nem reparei que a gente veio andando pra frente — confesso, envergonhada de largar minha melhor amiga sozinha por aí; Deus queira que ela esteja bem e segura.

Ele apenas sorri e continua cantando.

Estou ansiosa. Cadê a minha música preferida, que não toca? Olho para os lados, apreensiva. Uns não estão nem aí para o show, querem mais é aproveitar a oportunidade de estar ao lado de alguém que eles com certeza conheceram há alguns minutos. Há casais por toda parte, argh. Parece que quando estamos solteiras isso é tipo uma praga. Por todo lugar que você olha, lá estão eles. Casais fofos se beijando. E como eu queria estar com alguém que eu amo aqui hoje... Tá, tá. Sei que disse que ia parar de imaginar situações perfeitas, mas às vezes fica meio difícil não imaginar.

Vejo o Ryan se dirigir ao piano e então fico sabendo: ele vai cantar a minha música. Já assisti a apresentações deles repetidas vezes no YouTube, eu sei como funciona cada pedacinho do show. Ele se dirige à plateia e diz algo em inglês. Estou tão nervosa que não consigo escutar, claro. Olho para o Pedro e, antes que eu possa perguntar qualquer coisa, ele diz:

— Para todos os corações apaixonados.

— Oi? — Fico na pontinha dos pés para conseguir gritar no ouvido dele. — Ele disse isso? Ah! Ah, lindo! — respondo e bato palmas, empolgada e feliz.

A música "All we are" começa a tocar em algum lugar distante. Eu estou distante. Minha mente viaja de acordo com a melodia.

I tried to paint you a picture,
the colors were all wrong...
Black and white didn't fit you.

— Preto e branco não combinam com você — Pedro sussurra em meu ouvido.

Olho assustada para ele, não por ele saber a música de cor, porque é óbvio que ele sabe. Mas por ele saber exatamente o meu verso preferido. Tento puxar na mente se algum dia contei isso a ele. Certamente que sim.

"Preto e branco não combinam com você." Sabe, muitas vezes me senti uma garota em preto e branco, como naquelas revistas de colorir que vendem em bancas de jornal. Imagens estáticas, sorridentes, sem cor. Rascunhos sobre como tudo deve ser, mas, por algum motivo, ainda não é. Falta alguma coisa. O que faltaria, além da ausência de cores? Somos todas garotas em preto e branco procurando pelo lápis de cor certo. Aquele que vai colorir nossos dias e noites, preencher os vazios da nossa existência.

Não pode ser um lápis sem ponta, dos que só servem para rasgar o papel e machucar o desenho. Não. Também não pode ser um lápis já quase no fim; tenho muitas páginas para colorir. Preciso de um lápis que não tenha colorido nenhuma vida ainda. Aquele lápis que tem medo de encontrar o papel e dar cor ao preto e branco. Aquele lápis que vai dar cor à minha vida, enquanto eu trago o desenho de como tudo deve ser para ele. Foi quando eu soube o nome que daria ao meu blog: "Garota em preto e branco". Era perfeito e dizia muito sobre mim. Mas ninguém jamais imaginaria que eu, Isabela, estava por trás dele. Minha identidade ficaria segura.

Noto Pedro ao meu lado, cantando a música, e meu coração se enche de gratidão. Não sei definir ao certo o que sinto por ele: amizade, amor, algumas vezes "ódio". Na maior parte do tempo, a palavra que nos define certamente é *sintonia*. Ele sempre sabe o que se passa comigo e sempre tem uma palavra certa para me dar — mesmo sem saber que eu preciso dela.

Tento dizer alguma coisa que não sei bem o que é. Ele percebe minha hesitação. Nem eu sei ao certo o que quero falar. Mas quero falar *alguma coisa*.

— Isabela, eu... — o Pedro começa a dizer e, ato contínuo, segura forte meus ombros, com as duas mãos e a expressão séria. — Eu precisava te falar...

Olho para ele sem entender o que ele precisa me falar. Ok, talvez ele vá me contar que já ficou com a Marina. Ou provavelmente que está bêbado demais para conseguir me acompanhar até o hotel depois do show. Ou, pior, ele está com uma doença terminal gravíssima e ficou esse tempo todo sem me contar porque sabia que eu desmaiaria e ficaria histérica por minha vida se tornar um livro do Nicholas Sparks de repente. Ai!

— Você... — incentivo, esperançosa de que ele complete a frase.

— Eu...

Nesse instante, ele é interrompido, porque começa um empurra-empurra em volta da gente. Pedro segura o meu braço. Diz que precisamos dar o fora dali. Pessoas aterrorizadas correm para todos os lados, aos berros de "Briga! Briga!". Estava demorando. É difícil não acontecer nem uma briguinha em um festival com mais de 50 mil pessoas.

Começo a tremer, sabe? Eu morro de medo de brigas. Sempre que vejo alguma (na televisão ou na vida real), tenho vontade de chorar e tremer pelo resto da vida. Quem vê até pensa que eu era espancada na infância ou algo do tipo, mas nada disso. Simplesmente não gosto de violência. Lembro que quando mais nova ganhei do meu pai *O Corcunda de Notre Dame*, aquele filme da Disney, e, céus!, como odiei, desde a primeira vez que vi. Tem uma cena em que o Corcunda é amarrado em uma plataforma de madeira e, conforme a plataforma gira, as pessoas na multidão jogam frutas e outras coisas nele (ah, por quê? Porque ele era supostamente uma aberração...) e isso me marcou muito. Como as pessoas podiam ser cruéis assim com quem elas nem conheciam? Era apavorante, de verdade.

Tiro forças não sei de onde para correr na direção oposta ao tumulto. Corro por um tempo e, quando percebo que já estou longe da briga, paro para tomar um ar. Droga. Eu me perdi do Pedro. Nem vi para onde ele correu. Agora estou realmente sozinha. Vejo, de longe, a confusão se dissipar aos poucos e percebo que o show acabou. Aquela era a última música. A minha música. No fim das contas até que valeu a pena, sabe? Mesmo estando sozinha no final de tudo, no meio de uma pancadaria, meu coração está cheio de sentimentos bons.

Tento não pensar no que o Pedro queria me dizer. Não devia ser nada muito importante. Pego meu celular e mando uma mensagem para a Amanda, porque já estou começando a ficar preocupada com ela. Desde o início do show sem notícias é no mínimo estranho, e pelas minhas contas ela deve estar... bem, muito bêbada. Meu celular apita de volta em segundos com a seguinte mensagem:

> Amanda: Me encontre no primeiro quiosque da praia. Estou arrasada.
> Isabela: ?????? Ok. Estou indo.

Não entendo nada. Arrasada?

De longe posso ver um casal sentado no primeiro quiosque da praia e por um tempo tento enxergar se é mesmo a Amanda. Noto a blusa roxa e a saia jeans rasgada. Sei que, sim, minha melhor amiga está sentada em uma cama em um quiosque com um desconhecido a seu lado. Ao me aproximar, a cena fica ainda mais estranha. Amanda está aos prantos, com os olhos vermelhos e inchados, enquanto um garoto de cabelos louros arrepiados diz algumas palavras e a consola. Pelo menos foi o que entendi. Agora, por que ela está chorando? E quem é esse garoto aqui consolando uma desconhecida quando poderia estar lá na festa curtindo e conhecendo gente nova?

Amanda percebe minha presença e faz questão de berrar em alto e bom som:

— Eu fui jogada no lixo! NO LIXO, ISABELA! — Ela soluça um pouco e enxuga as lágrimas com a manga da blusa. — Ele fez isso comigo, me jogou fora, como algo descartável... Ele...

Olho, brava, para o garoto ao lado dela. Amanda está se referindo a ele, certo? Ele me encara. Quem ele acha que é?

— O que você fez com minha amiga, seu ridículo? — começo a dizer. Se ele tinha feito minha melhor amiga chorar, precisava escutar poucas e boas. — Você acha que é quem? Só porque é lourinho, bonitinho, acha que pode sair jogando as pessoas no lixo?

Ele abre a boca para dizer alguma coisa e eu já emendo:

— Aposto que você deu um beijo nela, iludindo com promessas falsas e depois beijou outra na frente dela.

E, sem respirar, prossigo:

— Não! Já sei! Você deu um beijo nela e depois disse que tinha namorada? A-há. Pois fique sabendo, ela também tem. Tudo bem, deve ter esquecido porque está um pouco bêbada. Mas ela tem e ele é muito mais bonito que você...

Olho para ele com repugnância e completo a frase:

— Seu... Seu... projeto de Ken da Barbie.

Tanto Amanda quanto o garoto me olham assustados. O que eu fiz de errado? Foi a citação do Ken no final? Ah, droga. Sabia que ia ficar um pouco brega, mas é que ele é irritantemente igualzinho aos Kens das minhas Barbies. Só que de olhos castanhos profundos, mas, ainda assim, um Ken. E eu queria fazer o cara se sentir mal, qual é? Se ele se achava bom demais para a minha amiga, estava enganado!

— Ei, ei, calma, bravinha! — ele me corta, levantando-se e vindo em minha direção. Veste um casaco estilo jogador de futebol americano e, não sei por quê, pego mais raiva ainda dele por isso. — Encontrei sua amiga assim e fiquei preocupado. Por isso estou aqui com ela.

— Então você estava se aproveitando de uma garota triste? É isso mesmo?

Tá, eu estou querendo inventar um motivo para odiar esse garoto. Mas é que nunca vi minha melhor amiga chorar e eu preciso achar um culpado. Amanda olha de um para o outro como se assistisse a uma partida de pingue-pongue. Até para de chorar.

— Você é louca ou o quê? — ele pergunta.

— EU SOU LOUCA, SIM! SOU LOUCA MESMO! — grito de volta. — Agora sai da minha frente que eu quero ver minha amiga.

Empurro-o para o lado e vou em direção à Amanda.

— Isabela, ele está me ajudando, eu, eu... — ela diz, com a voz fraca. — O Victor terminou comigo por mensagem, você acredita? Por *mensagem*! Foi por isso que me perdi de você e do resto do pessoal no começo do show. Fiquei vagando por um tempo, segurando o choro...

Ela suspira e continua:

— Até que vi esse quiosque afastado de todo mundo e vim ficar aqui curtindo minha fossa sozinha. Aí apareceu ele. Está apenas sendo legal. É isso.

Engulo em seco. Se havia qualquer chance de um dia eu ser amiga desse cara, já era. E olha que nos conhecemos faz só uns cinco minutos. Olho para ele, envergonhada, e enceno um pedido de desculpas. Ele balança a cabeça com um sorriso e me encoraja a continuar a conversa com a Amanda, pois isso é mais importante, claro.

— Como assim o Victor terminou com você? Quem ele pensa que é? Ele pelo menos disse o porquê? — pergunto, apressada.

— Ele disse que precisa de um tempo. De um tempo! Eu lá vou dar tempo pra alguém? Se você ama, você ama agora. Não precisa de tempo para pensar nisso.

Ela faz uma pausa e solta de uma vez só:

— Eu acho que ele está com outra. Eu já estava achando esquisito todo esse lance de "namorado liberal" — ela faz as aspas com as mãos — e coisa e tal. Quem deixaria a namorada viajar para um festival de estudantes sozinha?

Ela olha para o cara e manda:

— Você deixaria?

— Certamente, não — ele diz com um sorriso triste que me lembra um pouco o Pedro. — Mas não tenho namorada. Então...

— Ah, me poupe! — continua ela, irritada. A fase de tristeza já havia passado, ufa. Não sei lidar com amigas chorosas porque minha vontade é chorar junto. — Todos nós sabemos os indícios. O afastamento, as concessões de viagens, a liberdade, a falta de mensagens... Por que você acha que eu estava bebendo um copo atrás do outro hoje? Eu sabia, Isabela! Estava sentindo que alguma coisa ruim ia acontecer.

— Só que as coisas ruins geralmente acontecem comigo — replico.

Amanda dá um sorriso ao me escutar dizendo isso, porque é verdade. Acontecimentos trágicos sempre estão presentes na minha vida. Hoje os papéis se inverteram e eu preciso ser uma boa amiga. Amanda precisa de mim.

— Amiga, eu faço qualquer coisa pra você se sentir melhor, você que manda. É sério. — Seguro as mãozinhas dela nas minhas. — Você vai sofrer por um cara que te pede um tempo? Se ele quer um tempo, ele vai ter um tempo. Só que esse tempo vai se estender para sempre, porque quando ele se der conta de que você é uma garota incrível, você já vai estar feliz demais sozinha.

Então olho para ela, à procura de uma resposta.

— Me promete isso?

— Prometo — ela responde, suspirando e segurando o cordão que ele havia dado a ela no último aniversário de namoro deles. — Eu... prometo. Esse momento patético e choroso já passou.

Enquanto nos encaminhamos para o hotel, Amanda me apresenta ao garoto que eu acidentalmente xinguei de "projeto de Ken" e descubro que ele se chama Gabriel e cursa jornalismo na Mackenzie, em São Paulo. Ai, desgraçado! Além de bonito e fofo, vive a vida dos meus sonhos. Mas nem ouso puxar muito assunto com ele porque estou envergonhada por tê-lo acusado de mil coisas. Ele, no entanto, parece não ter se importado nem um pouco com meu acesso de loucura, pois a todo momento me lança sorrisos (maravilhosos) e faz questão de me contar tudo sobre o curso de jornalismo. Ganha minha simpatia.

Chegando à porta do nosso quarto, me viro para me despedir e agradecer a companhia.

— Ei, você já tá aqui... ó... — Amanda bate no peito duas vezes e aponta o indicador para a cara do Gabriel.

Meu Deus, ela ainda está bêbada! Será possível? Ele sorri e acena para ela de volta.

— Vou dormir porque por hoje é só... — diz e sai andando igual a uma sonâmbula para o quarto.

Olho de relance para ele e coro um pouquinho. Deveria ser proibido alguns homens serem bonitos, simpáticos, fofos, educados e ainda por cima socorrerem sua melhor amiga quando ela precisa de apoio moral. Confesso, estou hipnotizada.

— Eu, é... — começo a dizer e me engasgo sem saber ao certo o modo de me desculpar.

— Ei, não precisa se desculpar. Eu me diverti com você — ele se apressa em dizer com outro sorriso de matar qualquer uma. — Formamos uma boa dupla, sabe? Eu, um projeto de Ken; você, um projeto malfeito, bem malfeito, de Barbie.

— Eu deveria entrar logo, a Amanda deve querer minha companhia, você sabe, né?, mulher na hora de dormir... — Encaro os olhos castanhos dele e por um momento tenho a certeza de que ele vai me beijar. Então, é claro, desato a falar que nem doida. — Nossa, e ela ainda fala enquanto dorme, vê se pode? Pois é! Conta um monte de histórias... Outro dia estava contando sobre os antepassados chineses ou seriam japoneses? Não sei, eu, hum...

Tento prosseguir minha história, mas o dedo indicador dele na minha boca pede que eu pare.

— Que tal se a gente parasse de conversar? — ele pergunta me encostando na parede do corredor e olhando fundo nos meus olhos. — Você meio que me provocou quando gritou comigo daquele jeito...

Ele me dá um beijo ofegante e, se quer mesmo saber, eu me entrego. Sinto suas mãos puxando os cabelos da minha nuca. Me arrepio toda. Continuamos nos beijando por uns dez minutos, até que interrompo meio sem graça e digo que preciso entrar. Ele me dá um sorrisinho e me passa o número do seu celular.

— Posso esperar uma mensagem? — pergunta, com um olhar de cachorrinho sem dono que eu quero mesmo adotar.

Não respondo. Apenas sorrio fascinada com o que acaba de acontecer e fecho a porta. Quando entro saltitante no quarto dou de cara com a Amanda, de braços cruzados, me esperando com um olhar de quem sabe o que aconteceu.

— Você estava escutando pela porta? Não acredito, Mandy!

— Querida, eu não perderia jamais o momento em que você beijaria aquele deus grego! E céus, você tinha de beijar!

Ela pensa um pouco e continua:

— Eu até beijaria ele, se não estivesse tão devastada e tão estupidamente apegada ao Victor ainda.

Ela se joga na cama:

— Que montanha-russa esta noite, hein?

Penso no show do OneRepublic. No Pedro. Nela. No idiota do Victor. No Gabriel. Realmente, que montanha-russa de sentimentos. Só tenho forças para fechar meus olhos e me permitir sonhar um pouquinho.

CAPÍTULO 3
Em caso de dor, desapego por favor

http://garotaempretoebranco.com.br

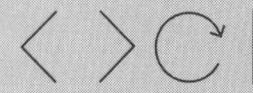

Não sei onde estava com a cabeça quando pensei que trazer essa idiota da minha prima para esta viagem seria uma boa. Cara, não. Não foi uma boa. Foi a pior coisa que eu poderia fazer. A garota dorme no meu quarto, usa as minhas coisas, deixa tudo bagunçado, faz xixi na tampa do vaso e ainda por cima está de olho e garras no meu melhor amigo. E antes que vocês comecem a dizer que estou com ciúme, não, não estou. Eu só acho que com o tanto de homem disponível aqui na Costa do Sauípe ela tinha de se engraçar pra cima do P.? É como se ela fizesse para me provocar, e apenas isso.

Então você, querido leitor, vai gostar de saber que hoje eu puxei os cabelos dela. E eu só não dei umas boas arranhadas na cara de pau daquela vaca porque minha melhor amiga, A., nos separou. O que posso dizer? Meu temperamento não é dos melhores. E ela interrompeu meu *reality show* favorito: *America's next top model.* Isso não se faz.

Aconteceu outra coisinha hoje também... O P. me contou tudo o que houve com sua família quando ele era mais novo, tim-tim por tim-tim. E posso dizer que é uma história de novela, não que seja uma história das mais lindas, porque não é. Bem ao contrário. E isso veio à tona porque mais cedo ele topou com o irmão gêmeo (AQUI NA COSTA DO SAUÍPE!!!). Dá pra acreditar? Parece que todo mundo está por aqui, como naquelas novelas mexicanas quando o mocinho viaja — sei lá — pra China e dá de cara com o vilão no mesmo hotel.

Mas, cara, o gêmeo misterioso do P. aqui? Pertinho da gente? O gêmeo do mal? O gêmeo-que-eu-sempre-quis-saber-como-é-fisicamente? Ai. É demais para mim!

Confesso que ter esse momento de sinceridade ontem com o P. me fez sentir um arrepio gostoso na espinha. Sempre esperei pelo instante em que ele se sentiria confiante para se abrir comigo, porque eu não sou só um livro aberto, sou um livro que grita "Ei, me leia!".

Gosto de espiar o coração das pessoas por dentro, porque tudo é mais bonito. E o dele é maravilhoso, de verdade. Gostaria que não carregasse tanta coisa, apenas isso. Só que no final da nossa conversa ele revelou algo que está me tirando o sono. Rezem por mim. É sério. Conto para vocês no próximo post.

Postado por Garota em Preto e Branco no dia 27 de janeiro às 9:03

2 COMENTÁRIOS.   COMPARTILHE

Yasmim comentou:
Que isso!!!!!!!!!!!!!!! Dá-lhe menina!!!!! Dá na cara dessa vaca mesmo!!!

Jordana comentou:
GPB, olha, eu acho que no fundo você está com ciúme do P., sim. Ele é seu amigo, afinal! Ou será que tem algo mais aí?

Tá, eu confesso. Não aguento presenciar sofrimento de forma alguma. Pode parecer arrogante, ou que eu seja apenas mais uma daquelas insensíveis que não estão nem aí para o que o outro sente e que quer se livrar a qualquer custo desse martírio. Afinal, é muito mais fácil ficar ao lado de alguém quando os momentos são sempre bons. De fato. Porém, o que acontece aqui dentro é diferente. Eu sinto, e sinto muito. Quando amo alguém, e nisso incluo os meus amigos, eu amo muito. Quero protegê-los como uma mamãe leoa protege os filhotes. Quando eles se ferem, é como se eu tivesse me ferido também. Sinto o sangue escorrer, arder, a ferida se abrir. E demora a cicatrizar.

Hoje, mais cedo, ao acordar, notei que a Amanda chorava baixinho enquanto fingia que ainda estava dormindo. Engraçado, nunca pensei que ela fosse do tipo que chora. Quero dizer, eu sou uma chorona, choro demais mesmo, mas minha amiga sempre me passou uma confiança inabalável. Ela nunca foi fissurada em relacionamentos nem nunca foi maníaca de querer um namorado sempre por perto. Essa, no caso, era, bem..., eu. E agora, vendo que ela também sofre, chora e se decepciona, percebo que todos nós aparentamos ter uma casca que, com a menor das decepções, pode se quebrar. Ela se quebrou. Eu só queria pegar o primeiro avião até o fim do mundo para caçar o garoto que partiu o coração dela.

Minha cabeça estava a mil, e por mais que eu achasse que entendia alguma coisa sobre relacionamentos, não entendia muito bem isso de "tempo". Quem pede um tempo pede o quê? Pede para voltar no tempo? Pede para ter o seu espaço? Pede que você volte daqui a algum tempo? Pede um relógio novo? Não é possível que as pessoas achem que pedir um tempo é saudável e reversível. Pedir um tempo é admitir para o mundo que você é covarde demais para dar uma conclusão. Quem precisa de um tempo para viver um amor talvez precise de um tempo para entender um pouco mais a vida em si. Claro, não vamos ser radicais, existem casos em que o tempo é a decisão mais sábia a ser tomada. Quando, por exemplo, alguém está se mudando para um país distante e promete que um dia voltará por você. Ou quando existe uma montanha de problemas que o impedem de ficar ao lado da pessoa que você ama e tudo que você quer é um tempo para conseguir colocar as coisas no lugar. Mas e quando você tem em suas mãos a pessoa que supostamente ama e ela pede um tempo? Bem, isso é papo de indeciso.

Não é mais fácil ser sincero? Dizer os reais motivos que o levaram a tomar sua decisão? "Tenho dúvidas", "Estou me sentindo sufocado", "Sua mania de deixar as roupas jogadas pela casa me cansa", "Não tenho certeza se te amo da mesma forma". Eu sou do time da verdade. Prefiro que me digam a verdade mais cruel do mundo a ser enganada com uma mentira que ameniza. A verdade pode doer e, sim, dói. Mas não deixa dúvidas. Já as meias palavras nos induzem a reticências. E esses três pontinhos podem dar a entender muito mais do que há para ser dito realmente.

    Terminar um relacionamento não é fácil, ô, eu sei disso. O pior é quando terminam por você. Quando você não tem sequer uma escolha, uma opção, não tem a palavra final. Você não conseguiu olhar nos olhos do outro pela última vez e não houve uma despedida. Você não deu um último beijo nem teve a chance de pedir que o outro ficasse. Ele apenas se foi, virou as costas e decidiu que queria ficar sozinho. Como alguém pode decidir seu destino sem consultas prévias? Deveria ser proibido alguém decidir algo por você. Porém, em relacionamentos, sabemos que funciona assim: as pessoas decidem sozinhas muitas vezes. Elas são egoístas na hora do amor e não acho que isso seja totalmente errado. Você tem que pensar no que é melhor para você, porque se continuar a pensar no que é melhor para o outro pode ser que nunca seja realmente feliz.

    Ano passado, na hora em que decidi terminar meu namoro de dois anos com o Gustavo, não me preocupei se ele ficaria triste ou desolado com minha decisão. Fui egoísta, ah, fui. Pensei somente em mim e em como eu precisava me reconstruir como pessoa, ser independente de um status perante a sociedade. Eu estava infeliz, destruída, carregando um piano nas costas por continuar a sorrir e fingir que minha vida estava perfeita. Ao tomar a decisão, renasci. E, se formos pensar pelo lado do Gustavo, ele também merecia minha sinceridade. Ao deixar que ele se fosse, mesmo contra a sua vontade, eu estava dando a ele a chance de ser feliz de verdade.

Então entendi o que a Amanda precisava saber. Ela agora poderia ter a oportunidade de ser feliz de verdade. Mesmo que não fizesse sentido algum no início, isso um dia soaria como sinos de uma catedral.

— Ai, prima! Você precisa me dizer uma coisa... Esse Pedro, seu amigo — ela diz enquanto passa rímel nos cílios enormes pela quarta vez. — Ele está, hum, solteiro?

É Nataly quem pergunta. Claro, quem mais poderia ser? Continuo concentrada no episódio novo de *America's next top model* e ignoro a pergunta dela, como se, ao fazer isso, ela pudesse esquecer o que disse e nós não precisássemos tocar mais no assunto.

Além de ser inconveniente, Nataly está usando a MINHA maquiagem, porque a bolsa de maquiagem dela "sumiu", coisa que eu duvido, é óbvio. Para mim, ela anda vendendo as maquiagens caras que meu tio banca para comprar drogas. Ou então fez uma suruba no quarto com uns traficantes enquanto eu e a Amanda estávamos fora e eles levaram a maleta de maquiagem em troca do serviço. Na verdade, essa teoria é fantástica. Vai dizer que não?

— Isabela??? Alô?? — insiste ela, ficando na minha frente apenas de toalha, com o rosto inteiro maquiado como se fosse para uma festa de formatura.

Detalhe: são apenas onze horas da manhã e provavelmente ela se pintou desse jeito para ir à piscina, o que não faz sentido algum. Antes que eu possa responder a qualquer coisa, ela desliga a televisão numa tentativa de chamar a minha atenção.

— O que foi, Nataly? Liga essa televisão AGORA! Eu estou assistindo, sua idiota — falo, irritada, e calculo quantos passos levaria para voar nos cabelos dela.

Ora, quem ela acha que sou? Eu tenho cara de gigolô do Pedro? Sinceramente. Fim de carreira.

— Eu que-ro sa-ber se seu amigo PE-DRO está solteiro — repete ela no tom mais debochado possível, com sorrisinho bobo e o controle da televisão na mão. — E você deveria parar de ver esses seriados idiotas. É por isso que está solteira... E que tal passar uma maquiagem nessas olheiras?

E continua, feroz:

— Desse jeito, nem mostrando o corpinho na piscina vai ter homem que te queira!

Respira fundo, respira fundo, Isabela. Não vai fazer nenhuma besteira. É apenas sua prima imbecil te provocando. Isso é algo normal, tranquilo, você aprendeu com o budismo que deve manter a calma sempre... E ah, que se dane! EU ESTOU PERDENDO *AMERICA'S NEXT TOP MODEL* E ESSA GAROTA ESTÁ ME CHAMANDO DE ENCALHADA!

Avanço para cima dela e a puxo pelos cabelos enquanto grito que quero o meu controle de volta. Ela puxa meus cabelos também e, nesse momento, agradeço por não ter tanto cabelo assim. Ficamos um bom tempo nos estapeando, em meio a gemidos e gritinhos histéricos, até que alguém entra no quarto e nos interrompe.

Ok. A que ponto cheguei na minha vida? Saindo no tapa com minha prima mais nova só porque ela ofendeu um dos meus seriados preferidos. E, tá, porque ela me chamou de encalhada. Também, pudera, ela merecia muito mais nessa cara rebocada dela. Ah, merecia!

— ISABELA!! NATALY!! Vocês são loucas ou o quê? — Amanda fica entre nós duas, separando a briga, com um olhar assustado sob os óculos de armação de oncinha. — Não posso sair por cinco minutos que já estão se atracando? Eu, hein?! Isso é coisa de criança. Vamos evoluir... O que aconteceu?!

O que aconteceu? Essa menina aconteceu. Estou vivendo com uma inimiga sob meu próprio teto. É isso que aconteceu. E eu estava perdendo *America's next top model* por causa dela. Isso também é importante ressaltar.

— A Isabela é uma recalcada descontrolada... Tem que se tratar, viu? — Nataly berra diante do espelho tentando arrumar o cabelo, agora arruinado por mim. — Eu perguntei se o Pedro estava solteiro e ela veio me atacar... Achei que vocês fossem só amigos. Se está com medo de que ele se apaixone por mim é só falar.

Amanda me olha como quem não entende nada. Fico sem palavras. Essa menina, essa menina, argh. Como ela faz isso? Consegue me fazer ter tanto desprezo por ela que eu nem sei o que dizer. É tão patética que faz parecer perda de tempo qualquer tentativa de discussão.

— Aham. Com certeza, Nataly. Porque você é a Miss Mundo, você desbanca a Megan Fox, você é irresistível, tudo de melhor que o mundo pode ter. E eu sou uma doida varrida, *sim*, acho que vou fazer *check in* amanhã no hospício. Motivo: recalque.

— Sou linda mesmo. E eu vou beijar seu amiguinho, você querendo ou não — minha priminha sibila como uma cobra e saltita em minha direção.

Escuto Amanda dizer bem baixinho "Como se isso fosse muito difícil", o que, por sorte (ou azar?), Nataly não ouve.

— Meu bem, você não entendeu ainda que eu não estou nem aí se você vai ficar com o Pedro ou não? — retruco e ligo de novo a televisão, me deitando na cama. — Minha única preocupação é se a Laura vai continuar no *America's next top model*. Sua vida amorosa? Pouco me importa. Vai lá pra piscina do hotel maquiada. Depois traz as pedras que te jogarem.

Vejo que ela abre a boca para dizer alguma coisa, no entanto arruma os cabelos novamente, coloca o biquíni e sai do quarto sem dizer um "a". Eu sei que provoquei a fera, provavelmente depois dessa ela vai transar com o Pedro na minha frente, mas que se dane. Eu não me importo, a boca do Pedro já passou por coisas piores. Esse tipo de garota está por toda parte e, claro, eu fui a premiada que veio com um bilhete único escrito "Ela será sua prima". É daquelas que nunca sequer olham para o cara, mas se ele começa a namorar... Opa. Como ele é interessante! Nunca havia reparado no branco do olho dele, tão diferente, tão PERFEITO... Ou então: ela te vê com um vestido bonito e já vem cheia de "De onde é?"; na semana seguinte pode ter certeza que ela terá um igual. É exaustivo.

Porque para ser mulher não basta vencer o desafio que é se olhar no espelho todos os dias e se amar, apesar de todas as imperfeições e paranoias. Nós ainda temos que driblar esse tipo de garota que está o tempo todo querendo o que é nosso.

O Pedro, ela até poderia ter, não seria lá muito difícil. Só que ai dela se um dia vier para cima da Amanda. Ninguém rouba minha japa.

— O que foi... isso? — Amanda pergunta, ainda abismada com a briga.

— Ué, ela me provocou. — Dou de ombros e sorrio. — Já posso riscar da minha listinha de coisas para fazer antes de morrer: chamar alguém de vadia e puxar os cabelos dela. Só faltou o champanhe na cara, mas ainda terei oportunidade.

Amanda solta uma gargalhada e troca de assunto rapidamente. Ela sempre faz isso quando está ansiosa para me contar uma notícia chocante. Olho para ela, meio tensa. Sei que lá vem história.

— Acabei de encontrar o Pedro no lobby do hotel. Ele estava meio desconcertado. — Faz uma pausa, olha para o celular e prossegue: — Disse que o irmão gêmeo dele está na Costa do Sauípe também. Pelo que entendi, eles se encontraram mais cedo sem querer e não foi um encontro muito amigável.

Ela respira, aperta os olhinhos e pergunta:

— Ele já te contou alguma coisa sobre a relação com o pai dele e o irmão?

Penso por uns segundos antes de responder e tenho de confessar a mim mesma que ele nunca se aprofundou no assunto, por mais que eu tenha insistido várias e várias vezes. Pelo que sei, os pais dele se separaram quando os dois meninos ainda eram bem pequenos. Um ficou com a mãe e o outro com o pai. Sem nenhum contato, sem encontros de família nem nas festas de Natal ou fim de ano. Eles simplesmente cresceram sozinhos, como completos desconhecidos.

É claro que nos tempos de hoje é impossível não saber um pouquinho sobre a vida do outro, mesmo sem fazer qualquer esforço. Um belo dia ele aparece na sua *timeline* piscando como um outdoor iluminado. Deus sabe que eu já tentei de tudo para achar esse irmão do Pedro no Facebook, Instagram, Twitter, enfim. Porém, sem um nome, fica meio difícil. O Pedro, por outro lado, mesmo que goste de bancar o desencanado, aposto que sabe bastante da vida do irmão. Qualquer um ficaria curioso, qual é? Eles são gêmeos! E gêmeos deveriam ser inseparáveis, usar roupas iguais e se casar no mesmo dia. Aham!

Meu estômago revira. Será que eles eram idênticos na personalidade? Nossa! Eu não estou preparada para conhecer outro Pedro, na boa.

— Eu sei o que você sabe, Mandy. O que não é muita coisa — confesso.

Ela revira os olhos e bate com as duas mãos na cama.

— Ai, como eu queria saber quem é esse irmão dele! Será que ele vai nos apresentar?

— Claro. "Oi, meninas, esse é meu irmão gêmeo que, por algum motivo, eu odeio, mas estou aqui apresentando a vocês porque sou muito cortês e elegante" — enceno, fazendo uma imitação deplorável da voz do Pedro. — Tá, ele nunca vai nos apresentar. Me espanta até que tenha te contado que se encontrou com ele.

Reflito por uns instantes. E mudo de atitude:

— Talvez ele esteja precisando é de uma força. Vou mandar algo pra ele.

Amanda concorda, passamos alguns minutos discutindo essa situação e sobre como lidar com ela. Resolvo mandar uma mensagem para o Pedro perguntando se está tudo bem.

Isabela: Tudo bem por aí, Pê?
Pedro: Me encontra hoje à noite na praia e vai ficar tudo bem.
Isabela: Pensarei no seu caso.
Pedro: Pensou?
Isabela: 20h?
Pedro: É um encontro.
Isabela: Besta...
Pedro está off-line.

O passado diz muito sobre quem somos e sobre o que podemos nos tornar. Seria ultrajante dizer que o passado nos molda, mas ele revela mais do que palavras são capazes de expressar.

Quando conheço uma pessoa, logo me fascino pelo que ela já viveu, por quais terras viajou, por suas paixões de colegial e pelo que pedia de Natal para seus pais. Sou curiosa, confesso, mas minha curiosidade vem aliada ao interesse. Se não me interesso pela pessoa, não fico nem aí para descobrir sua cor favorita ou seu time de futebol (a propósito, torço pelo Botafogo, ok?). Então não veja meu interesse como bisbilhotice. É que gosto de transformar interrogações em certezas e, principalmente, em admiração.

Em criança, não entendemos muito bem o que está se passando, temos as lembranças recheadas de pesadas nuvens brancas que nublam nossa percepção do que é real e do que é imaginário. Lembro que, mais nova, uma vez encontrei minha mãe chorando no quarto e essa lembrança nunca saiu da minha cabeça. Eu nem desconfiava que aquilo seria o início de uma era diferente na família. Na época, o que fiz foi me sentar a seu lado e fazer carinho em seus cabelos pesados e louros. Não perguntei o que a afligia. No auge dos meus nove anos de idade, achei que, de qualquer forma, não entenderia. Mas eu queria estar ali por ela, queria mostrar que, apesar das lágrimas e do que fazia seu coração sangrar, ainda existia alguém que se importava. Ela soluçou por alguns minutos, se levantou, me abraçou e disse que tudo ia melhorar. Assenti com a cabeça.

Eu não sei que parte dessa história eu inventei e o que realmente aconteceu. As memórias me parecem fugir à medida que os anos passam, porém tenho plena convicção de que nunca me esquecerei da primeira vez que vi minha mãe chorar. O tempo passou e tudo que aconteceu depois desse dia parece um sonho. Até hoje não sei se é real. Meu pai agia de modo esquisito, meu irmão começou a ir mal no colégio. Mudamos de casa umas três vezes, minha mãe ficou afastada da empresa por um tempo. As coisas não iam bem, eu sei disso. As brigas eram constantes e toda vez que eu escutava vozes se alterando corria para o quarto, colocava o fone do meu walkman nos ouvidos e me perdia em meio a músicas. Eu me recusava a ter aquilo como lembrança. Minha infância merecia muito mais que isso.

Essa "fase" durou uns dois anos, acho. E aí, passou. Como uma chuva de verão, de uma hora para outra nossa família voltou a ser o que era. Entendi que podemos deixar que alguns acontecimentos da vida nos moldem. Mas temos também a opção de erguer a cabeça e passar por cima deles como se nem tivessem nos machucado. Algumas cicatrizes ficarão, só isso. Você não precisa guardar o remorso e as coisas ruins no bolso. Sei que não guardei.

Não me importa a cor do seu passado: escura, pálida ou vibrante. Ele é fascinante de qualquer forma, de qualquer jeito, contado ao pé do ouvido ou berrado em meio a gritos sufocantes. Porque admitir o passado em voz alta requer coragem, e mesmo que você me conte a pior das histórias, vou te admirar por isso. Novamente, do mesmo modo que o passado é capaz de moldar quem você pode ser, ele é capaz de ditar tudo aquilo que você *não* quer ser.

. . .

Olho para o mar, agora de um tom negro perolado iluminado pela lua, que, fraca, tenta sobressair através das nuvens. As ondas reviram, assim como meu estômago. Começo a me arrepender de ter marcado com o Pedro na beira da praia.

Deito-me em uma dessas camas-quiosques espalhadas por toda a extensão da Costa do Sauípe e um garçom vem me perguntar se aceito champanhe. Recuso nas duas primeiras vezes, mas como o Pedro está demorando demais, resolvo aceitar uma taça. Que mal há nisso? Estou nervosa como se fosse fazer uma prova de vestibular. Além disso, a praia está vazia. Acho que é dia de balada em um dos hotéis. Não sei por quê, imagino Nataly com um vestido branco colante, derramando champanhe no seu corpo sarado e obrigando os homens à sua volta a lamber tudo. Eca.

Uma sombra ao longe começa a tomar forma e meu estômago revira mais uma vez. Olho para o céu à procura de algo que me acalme, e nada. Nem lua nem estrelas, nada me acalmaria hoje. Hoje seremos só eu, o Pedro e o que ele quiser me contar. Ele está com uma camisa branca que deixa o peito um pouco à mostra e uma bermuda cáqui. Nos pés, chinelos. O cabelo bagunçado como se tivesse saído do banho há pouco.

— Oi, branquela — ele diz, com um sorriso, enquanto se aproxima com as mãos nos bolsos. — Eu vim só te dizer uma coisa... Quero saber por que fugiu de mim ontem.

Ele me pega de surpresa com essa pergunta. Claro, ele está brincando, no entanto mal sabe que eu daria tudo para ouvir o que ele ia me contar no exato momento em que a confusão se instalou na multidão. Ah, pensando melhor, talvez ele fosse me contar do irmão... Claro! Agora tudo faz sentido. Será que ele avistou o irmão no show e se sentiu na obrigação de me contar? Será que o irmão dele é gato? Ops. Acho que eu não devia estar pensando uma coisa dessas. Foco, Isabela. Foco.

— A sua companhia estava um pouco chata, sabe como é? — retruco ao mesmo tempo que beberico meu champanhe. — Então eu pensei, por que não correr por entre a multidão, tropeçar algumas vezes, quase perder o meu celular, ficar perdida por um tempo? Bem memorável.

— Claro. Seu show deve ter sido inesquecível — ele responde com outro sorriso maravilhoso.

— E foi. Tirando a parte do final. — Hesito por alguns segundos e olho dentro de seus olhos azuis em busca de uma resposta.

Afinal, o "final" do nosso show foi interrompido, é o que eu gostaria de dizer, porém não sei se ele entenderia da mesma forma que eu.

— Né?

— Ah, sim. Uma pena — ele me responde, indiferente. — Te procurei por todas as partes, depois... Desisti. Você não atendia o telefone, sumiu de todo mundo...

— Ah, aconteceu aquele lance com a Amanda, você sabe — digo, dando de ombros.

Ele se senta ao meu lado.

— Eu sei, eu sei. Loucura, não é? Sempre imaginei que eles eram um casal sólido. Porque, na boa, todo mundo sabe que a problemática sempre foi você — atira ele, dando uma gargalhada que corta a noite.

— Há-há-há. Não tem graça. Meus dias de problemas estão em recesso, obrigada.

— E os meus começando... — devolve ele, passando a mão nos meus cabelos. — Sabe quando você adia por muito tempo um acontecimento e, de repente, ele está ali, na sua frente? Eu não sei lidar com muita coisa, branquela.

Penso por uns segundos antes de responder. É difícil imaginar algo com o qual o Pedro não seja capaz de lidar. Ele é sempre tão seguro, tão imponente, irônico, cheio de si. Eu o tenho como a pessoa que vai me salvar de todo e qualquer problema, então vê-lo em uma situação em que ele precisa ser salvo é realmente algo novo para mim. Como reagir? O que fazer?

Seguro suas mãos.

— Olha, eu também não sei lidar com muita coisa, na verdade nunca sei como agir, você sabe disso. Sou insegura, inconstante, ando na corda bamba dia após dia. Mas o que posso dizer é que vou estar aqui por você, de verdade. Mesmo que isso não adiante muita coisa e que eu não tenha toda a força que você precisa. Vou estar do seu lado até se você estiver errado. — Olho de soslaio para ele, ele sorri e aperta forte minhas mãos. — Não sei o que está se passando neste momento, mas só de imaginar meu estômago revira. Eu quero estar aqui por você, só que você precisa me deixar entrar.

Nesse ponto solto suas mãos e o encaro, ansiosa, sem saber o que ele vai dizer. Ele desvia o olhar para longe.

— É que é difícil, sabe? Eu gosto de ser assim, "sem sentimentos" — ele afirma.

— Só que a gente sabe que isso não é bem verdade — cutuco.

Não é possível que ele não tenha um pingo de sentimento na alma. Eu me recuso a acreditar, sinceramente.

— Ah, até certo ponto, é. Eu não consigo sentir muito, entende? Não sei o que é isso que vocês tanto falam de se apaixonar, ou de se emocionar vendo um casal fofo andar de mãos dadas na praia. Isso simplesmente não me atinge, Isa. — Ele abaixa a cabeça e continua: — Meu irmão aparece e eu não sinto nada. Nem raiva nem saudade. Simplesmente um grande nada. Vazio.

Não está mentindo, sei disso porque olho no fundo dos olhos dele e o que vejo é um grande ponto de interrogação. O Pedro não sabe sentir. Eu me pergunto se o irmão dele também é assim. Não que ele force para ser desse jeito, porque, nossa!, o coração dele é enorme. Porém, há certos episódios que criam cicatrizes permanentes em nossos corpos cansados. O Pedro é cheio delas. Eu também tenho as minhas e sei o que uma cicatriz bem funda pode fazer com o coração. Ele enfraquece, continua ali batendo dia após dia, só que mecanicamente. Coração também deixa de acreditar. Tem vontade própria.

— Sabe, branquela... Sei que você se sente mal porque eu te afasto às vezes, mas é o meu jeito. Não gosto de compartilhar minhas angústias com as pessoas que amo.

Ouço isso e meu estômago gela. Ele continua:

— Você merece ter a seu lado pessoas descomplicadas, de bem com a vida. E eu quero ser esse amigo pra você. Não quero ser o amigo problemático que tem uma família louca.

— Pedro, você pode ser a pior pessoa do mundo e, acredite, tem hora que você realmente é.

Dou uma risadinha, ele se diverte e eu prossigo:

— Mas ainda assim vou estar ao seu lado. Tá? Eu sou boazinha, cara. Fique ao meu lado e você vai perceber isso.

— Então você ainda vai gostar de mim mesmo se eu disser que assassinei meu irmão e joguei o corpo dele nesse mar que você está olhando? — Ele aponta para as ondas.

Congelo. Ele está falando sério? Ah, claro que não. É óbvio que está zoando com a minha cara, se bem que... Não sei. O Pedro é mesmo enigmático às vezes e eu li num jornal que assassinos frios e psicopatas em geral têm olhos azuis. Céus! Será que vou ser considerada cúmplice do crime? Ai! Não estou preparada para ir para a cadeia, quero dizer, eu nem curto *Orange is the new black*. Mas eu gosto de *Prison break*, é... Ir para a cadeia pode ser divertido se eu achar um Michael lá dentro. Nossa, o Michael... O que são aquelas tatuagens e aquele abdômen? Eu passo é mal.

— É verdade — a voz cortante do Pedro me tira dos meus sonhos. — O que eu posso dizer? O cara era um mala...

— Pedro — respondo e lanço um olhar sarcástico. — Para de brincar comigo.

— Eu... Brincando com você? Eu jamais faria isso — ele se diverte com minha confusão.

— Você só faz isso o tempo todo...

— É, acho que faço — admite e dá um sorriso gostoso. — É que você é tão bonitinha quando acredita nas coisas.

Nós dois ficamos em silêncio por alguns minutos. As ondas batendo na areia e o céu negro, praticamente sem lua, que hoje não está para papo. Por que quando estamos ao lado de alguém que nos inspira confiança tudo fica poético? Sei que nunca esquecerei este momento que estou vivendo com o Pedro hoje. Talvez porque tenha sido uma das únicas vezes que ele abriu o coração para mim e, bem, eu gosto de entrar no coração das pessoas.

Passado nosso silêncio momentâneo, ele me conta. Conta tudinho. Seus pais se conheceram em São Paulo, na época em que sua mãe trabalhava como garçonete em um bar para conseguir se sustentar na cidade grande. Ela, mineirinha, muito bonita, obviamente chamava a atenção de qualquer marmanjo. Era cortejada todos os dias pelos homens que passavam por ali. Mas Suzana não queria nenhum deles, ela nutria uma paixão platônica por um homem misterioso de olhos azuis que sempre se sentava na mesma mesa e chegava no mesmo horário. O ritual era sempre igual: ele se sentava, lia um livro por uns cinco minutos, pedia uma cerveja preta e ia embora. Depois de muitos olhares e sorrisos, começaram a namorar. Foi uma paixão avassaladora, daquelas que arrancam o coração do peito pelo simples fato de se respirar ao lado da pessoa especial.

Eles se casaram. Passada a fase de "lua de mel", os problemas começaram. As brigas, o ciúme, o alcoolismo do Thadeu. Toda família tem problemas, é verdade, mas não posso dizer que algum dia vi meu pai levantar a mão para minha mãe. O Pedro, já. Eu achava que seus pais haviam se separado quando ele era muito novo e que ele nem se lembrava de como era a relação entre eles. Mas isso era o que ele dizia e no que ele queria acreditar. A verdade é que conviveu com o pai e o irmão gêmeo boa parte da infância. Para ser mais precisa, até os seis anos de idade.

Sua mãe era constantemente espancada. Ouviam-se seus gritos por toda a vizinhança, todos sabiam o que acontecia. Mas quem é que quer se meter nos problemas do outro? Infelizmente, ninguém. As crianças cresceram em meio a hematomas no rosto da mãe e cheiro de álcool do pai. Viviam num cortiço porque pouco a pouco foram perdendo todos os bens, embora a mãe trabalhasse feito louca para manter a família. Thadeu conseguia levar todos para o fundo do poço.

Uma vez o pai chegou a apontar uma arma para a cabeça da mulher e a fez jurar que nunca mais sairia de casa sem ele. Que "tudo ficaria bem agora". Pedro acordou assustado com os gritos, entrou no quarto deles e se deparou com a cena. Implorou ao pai que parasse, chorou o choro de uma criança de seis anos já sem inocência. Uma criança que falava com a propriedade do homem da casa. Seu irmão chorava baixinho no outro quarto. A cena terminou com um tiro, que, graças a Deus, acertou apenas a parede. Suzana pegou os dois filhos e disse que ia embora.

A vizinhança, pela primeira vez, se comoveu. Não foram prestadas queixas, o tiro foi registrado como um "acidente". Suzie não queria provocar a ira do marido. Só queria distância e paz. Quando ele tentou impedi-la de ir embora, foi contido pelos vizinhos no instante em que ela entrava num táxi rumo à liberdade e à nova vida. Ela voltou para Minas.

Mas o final feliz nunca acontece dessa forma, né? Thadeu, após um ano, reapareceu "curado", um "novo homem" — assim alegava. Queria que um dos filhos ficasse sob seus cuidados, já que ele também estava morando em Juiz de Fora para trabalhar. Disse que entraria na Justiça se fosse possível, queria fazer parte da vida dos meninos, queria se redimir. Suzana viu que não teria alternativa, disse que ele poderia cuidar de um dos garotos e que nos fins de semana ela queria vê-lo. Thadeu então ficou com o irmão do Pedro, que era mais próximo dele e que, apesar de tudo o que acontecera, pareceu sempre acreditar que o pai poderia mudar. Diferente do Pedro, que só de ouvir falar em seu nome sentia repulsa.

A promessa de que Suzie poderia vê-lo todos os fins de semana foi cumprida por pouco tempo, porque no mês seguinte Thadeu voltou para São Paulo. Ela sofreu demais. Ficar afastada de um filho é matar uma mãe devagarinho. Ela ligava constantemente para ele, queria fazer parte da sua vida, mas, ao que tudo indica, o ex-marido a afastava. A mãe foi entrando em depressão profunda. Apesar da força do seu braço direito, que era Pedro, ela nunca mais conseguiu ser feliz. Pedro cresceu com essa dor dentro dele, de não ter sido suficiente para a mãe. E isso, como sabemos, pode marcar negativamente a vida de qualquer um.

À medida que o menino crescia, o contato ficava cada vez mais superficial, até restringir-se ao Natal e ao aniversário, quando o irmão atendia o telefone. Isso, para o Pedro, era motivo suficiente para odiá-lo com todas as forças. Ela merecia respostas. Ela só queria saber coisas tolas: sentia falta de uma mãe por perto? Teve dificuldades na vida? Tinha amigos? Era amado? Já amou alguém? Gostava de jogar futebol, escrever ou desenhar? Por que lhe negar isso? Será que era tão difícil?

Foi aí que entendi tudo. Entendi o jeito distante do Pedro, os olhos sempre tristes, o carinho excessivo pela mãe. Ele se sentia responsável pela felicidade dela e isso era um peso enorme para carregar por aí. Tentei imaginar o que ele havia sentido ao se deparar com o irmão no meio de uma viagem de férias, justamente quando só queremos nos divertir e abstrair de todas as coisas ruins da rotina.

Seus olhos estão agora mais tristes ainda.

— Ei, Pedro.

Ele me olha, com os olhos cheios de lágrimas após o desabafo.

— Como chama esse seu irmão, hein? Só para o caso de eu encontrar ele por aí e sabe... dar um chute no meio das suas bolas.

Ele sorri, passa a mão nos cabelos negros e responde:
— Ah, o nome dele? Gabriel.
Não, não podia ser... Não!
Não...
Eu beijei um Gabriel ontem.
Minha vida não tinha como ficar pior. De verdade.

CAPÍTULO 4

Coração fechado não se decepciona. Mas também não se apaixona

http://garotaempretoebranco.com.br

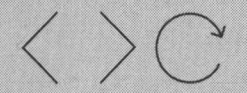

    Você sai com um casal de amigos e, até aí, tudo bem, tudo ótimo. Vocês se sentam em uma mesa do restaurante, conversam por um tempo e, de repente, o casal começa a se beijar. Todo mundo dá um riso tímido, 'ah, fofos', pensam. O casal continua a se beijar. Fica um silêncio na mesa, mas eles ainda são fofos. O casal começa a chupar a boca um do outro. Você tenta se concentrar em algum objeto do recinto, como um vaso chinês. O cara puxa o cabelo da garota com força. Você se pergunta se não é melhor sair dali. Gente, pra que isso? Vamos amar com moderação.

    Hoje eu meio que fui um desses casais. Mas, antes disso, preciso esclarecer algumas coisas.

    Vamos lá, vou contar o que prometi. O P., meu melhor amigo, tem uma história de vida bem triste... Ele tem um irmão gêmeo, o G. Eles foram criados separadamente, um com a mãe, outro com o pai. É isso mesmo. Devido à infância difícil, convivendo até os seis anos com um pai alcoólatra que batia na mãe, o P. cresceu desconfiado de tudo. A mãe, depois que se separou e perdeu um dos filhos, entrou em depressão. O P. se sentia mal por não conseguir suprir a ausência do irmão.

    Isso tudo resumindo, claro.

    Me arrepiei quando P. me contou tudo, e eu aqui achando que meus relacionamentos e confusões do dia a dia são problemas sérios, quando, na verdade, tem tanta gente com problemas REAIS...

    Mas não basta meu melhor amigo estar com uma dor no coração por se ver, de uma hora para outra, diante do irmão e de seu passado. Eu resolvi perguntar a ele o nome desse irmão e, bem, como eu já disse... É G. E G. é o nome do cara com quem eu fiquei naquele dia do show. O gostoso. O cara misterioso. O amor de uma noite. Gente. Gente!!!!!!!!!!!!!!!!! Entenderam meu desespero?

Não podem existir dois G's na Costa do Sauípe, com a mesma idade e morando em São Paulo. E, se existir, tenho certeza de que eu escolheria o errado.

    Não haveria problema algum se eu nunca mais visse o G. por aí. Acontece que hoje fiz o papel desses casais que não param de se beijar... só que com ele! Não me julguem, ele é bem irresistível. Bem, bem irresistível. Ainda mais sem camisa (sim, eu beijei ele sem camisa: durmam com essa cena!). E eu meio que tô carente.

    Estou me sentindo duas-caras. Passei o dia inteiro com o G. e a noite com o P. (sem beijar, vocês entenderam!).

    Qual é o meu problema????? O que eu faço????? Vocês têm que me ajudar!

Postado por Garota em Preto e Branco no dia 28 de janeiro às 11:02

3 COMENTÁRIOS.   COMPARTILHE ›

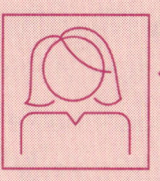

Fabi comentou:
GPB, calma! Pode ser que sejam pessoas diferentes, sim, menina... Torcendo por você...

Gabi comentou:
Hahahahahahahahahahahahahaha. Tô rindo de nervoso por você!!!

Anônimo comentou:
Que história triste do seu melhor amigo =(você precisa apoiá-lo, e não ficar com caras sem camisa por aí. Minha opinião.

Eu tenho um grande problema com corações fechados, sabe? Eles me despertam uma vontade enorme de escancará-los. Como uma casa que fica trancada por muito tempo, acumulando poeira, solidão e destroços. Simplesmente quero abrir todas as portas, janelas, e deixar que o ar e a luz do dia iluminem os cômodos.

De uma coisa tenho certeza: é melhor sentir — qualquer coisa, ainda que não seja boa — do que não sentir coisa alguma.

Sempre que me pegava triste e decepcionada com algo, tentava me lembrar: "Ei, eu estou sofrendo. E isso quer dizer que tenho sentimentos. Sentimentos agora se esvaem por todos os poros do meu corpo. Fique feliz com isso. Você está viva". Mas e aqueles que não sentem? Que se fecham para o mundo e não permitem que nada os penetre? Alegria, esperança, amor, dor... Não sentir nada dói mais do que sentir em demasia. Vai por mim.

Como não se emocionar ao assistir a um filme água com açúcar? E por que não se encantar com um casal sentado no banco da praça se beijando? Será possível não sentir saudade em despedidas? Bem, é possível. Não para mim, claro. Sou sentimental por natureza. Mas veja o Pedro, por exemplo. Ele não consegue sentir. E eu acho que ele tenta, ah, tenta. Nos momentos em que me faz carinho nos cabelos ou puxa minhas mãos para perto de si, ele está se permitindo sentir, ele *quer* sentir. Porém, alguma coisa dentro dele diz: "Ei, você não merece" ou "Isso não é pra você, meu amigo", "Sentimentos te deixam vulnerável, hora de parar". E aí ele se retrai, volta à estaca zero.

Nossas feridas deviam nos ensinar o jeito certo de amar e não servir de motivo para nos afastar.

Não há um modo certo de amar. Ame. Do seu jeito.

— Isabela, você anda vendo muito filme de drama, sinceramente.

Estamos na piscina tomando sol e Amanda se diverte ao escutar a minha preocupação. Alô, mundo, será que ninguém acredita no meu problema? Porque ele é bem real.

— Amiga, você não está entendendo — falo esganiçada. — Rapaz louro, olhos castanhos, mesma idade, chamado Gabriel. Não existem muitos por aí! É ele, Amanda!

Amanda continua folheando sua revista e me lança um olhar cético. Insisto:

— Eu fiquei com o gêmeo do Pedro. E pior: *eu gostei* de ficar com o gêmeo do Pedro. Nossa, eu gostei muito. Ele é bem gostoso, quero dizer, eu acho que é, né? Você viu o abdômen marcando o casaco? Ou eu sonhei? Aliás, eu sonhei *mesmo* com ele ontem, o sonho foi super-romântico, estávamos num jantar à luz de velas em um navio... Ei! Será que ele vai me convidar para um jantar à luz de velas? Ai, que lindo! Ele devia.

— Isabela!!! Parou, parou, parou. Primeiro, que se ele for mesmo o irmão do Pedro, você não deveria querer nada com ele.

Abro a boca para argumentar, mas ela levanta o dedo indicando que eu a espere concluir:

— Segundo, sim, existem milhares de *Gabriéis* por aí, louros, de olhos castanhos. Por exemplo, aquele cara ali poderia ser o gêmeo do Pedro.

Olho para onde ela aponta. Vejo um gordinho pálido, com cabelos castanhos, bochechas vermelhinhas e uma enorme paixão por uma boia de jacaré que ele arrasta contente pela piscina.

Não, ele não é o gêmeo do Pedro.

— Ai, Mandy, você jura? O gêmeo do Pedro deve ser no mínimo muito gato.

Ela me olha por cima dos óculos.

— Por quê? Você acha o Pedro gato?

— Eu não! Cruz-credo — nego, com a voz fraca.

Ela me olha desconfiada e ri da minha cara.

— Tá, talvez ele seja um pouco gato — tento.

— Ou muito gato.

— É, muito. Enfim, não faz meu tipo.

— A-ham — ela murmura e abaixa ainda mais o tom da voz. — Eu, se fosse você, começava a arrumar o cabelo e encolhia a barriga.

Olho para ela sem entender, então ela completa:

— Espia quem está vindo ali.

Vejo o Gabriel andando em minha direção com um sorriso maravilhoso. Como eu já disse, deveria ser proibido existirem gatos como ele. E deveria ser proibido também você beijar um cara gato desses. Quero dizer, é um saco quando a outra pessoa é muito bonita e tudo o que você consegue fazer é babar um monte e ficar com cara de cachorrinho feliz ao vê-la. Olhei para o abdômen perfeito que eu tinha imaginado por baixo do casaco e me lembrei do Pedro. Droga, eles não podiam ser irmãos. Qual é...

Eu sempre fui uma boa menina, ajudava velhinhas a atravessar a rua e no Natal pegava uma cartinha nos Correios para ser solidária com as crianças que só querem um presentinho do Papai Noel. Se alguém merece tirar a sorte grande, esse alguém sou euzinha. Eu só preciso que esse deus-grego-inacreditável não seja o irmão gêmeo babaca do meu melhor amigo. Só isso.

Destino, colabora comigo nessa daí.

O gato senta na cadeira ao lado e manda, logo de cara:

— Acharam que iam escapar de mim?

Olho para os dentes dele. Não sei por quê, mas amo dentes. Sempre reparo nos dentes das pessoas. Sei lá, é inconsciente. Dentes formam sorrisos. E eu sou apaixonada por sorrisos. Você não precisa ter dentes perfeitos, mas o conjunto é importante. Ah, e o dele é... "dilacerante" é a palavra. Não, não. Dilacerante seria se ele fosse um vampiro. E no momento ele está mais para surfista havaiano. Os dentes brancos contrastam com a pele dourada de sol. Tento me concentrar na conversa que já está rolando.

— ...já superei. Afinal, estou na Costa do Sauípe rodeada de pessoas bonitas e com glamour, e ele está lá em Juiz de Fora, enfurnado dentro de casa, provavelmente jogando algum jogo de nerd no computador — tagarela Amanda.

— Tá certa. Eu sabia que era questão de tempo você se dar conta disso — diz Gabriel, que se vira para mim e envolve meus ombros com seus braços. — E você, Barbie Falsificada, no que pensa tanto aí, hein?

— Eu? Ahn... Eu... Qual seu sobrenome?

Amanda arregala os olhos e balança a cabeça em sinal de reprovação e vergonha de mim. Gabriel sorri sem entender muito bem o motivo da minha pergunta e diz que se chama Gabriel Bragança. Ok, Bragança não é Miller. Mas será que ele tem outro sobrenome? E o Pedro teria também outro sobrenome? E pela história que o Pedro me contou, faria sentido que ele tivesse ou usasse apenas o sobrenome do pai, né? Ou eles teriam sido registrados com os dois nomes e posteriormente decidiram permanecer só com um? Ai, que confusão. Não fui feita para viver em novelas mexicanas, de verdade. Apesar de amar Paola Bracho e todas as suas histórias, sou mais do tipo Bela Adormecida. A que só quer dormir enquanto espera o príncipe. Ou Mulan, a que vai à guerra sem pensar muito nas consequências.

— Você é estranha, Isabela — ele começa. — Mas... gosto disso.

Olho diretamente para ele e deixo que me encare. Ele me puxa pelo pescoço de forma delicada e me aproxima dele. Quase posso sentir seu hálito quando ele sussurra: "Não quero que essas férias acabem...". E nos beijamos. Beijamos.

Gente, beijamos muito. Ficamos por uns quinze minutos beijando e eu meio que já estava quase falando algo do tipo: "Ei, a gente também pode conversar, sabe?, às vezes é legal".

Eu tenho algum problema com demonstrações de afeto exageradas em público. Não sei, não sei mesmo. Uma voz na minha cabeça sempre diz: "Tá vendo, você está igual àqueles casais chatos que tanto criticou um dia". Porque sim, eu critico. Então tenho de me conter. Pauso o beijo e me viro para ver se a Amanda não está constrangida com esse meu momento-clipe-da-Taylor-Swift.

Só para deixar claro: eu amo a Taylor Swift. Não sei por que algumas pessoas têm preconceito em relação a ela. As músicas são de menininha? Sim. Mas que mulher não é um pouco menininha? Eu, Isabela, tenho 23 anos bem-vividos e até hoje me vejo empolgada com aquelas máquinas de pegar com o gancho bichinhos de pelúcia — que, por sinal, eu nunca consegui pegar. Não tenho vergonha de ir ao cinema para assistir a desenhos animados nem de ter uma coleção de bichos de pelúcia em cima da cama. Tá, talvez eu meio que esconda os bichinhos quando um possível-futuro-pretendente vai à minha casa. Não quero que ele descubra minhas manias estranhas logo de cara, né?

Minha vida é uma mistura de maturidade e infantilidade. Tem horas que sou o homem da casa, ah, sou. Me lembro da vez que meu irmão tomou um pé na bunda e ficou escutando Slipknot no volume máximo por dias seguidos. Entendi no primeiro dia, juro que entendi. Porém, ele estava levando esse lance da fossa a sério demais. Depois de ouvir "The devil in I" 39 vezes seguidas (eu contei), resolvi tomar medidas drásticas.

— Bernardo, sei que talvez eu seja a última pessoa que você quer ver agora. Mas é hora de seguir em frente — disse ao escancarar a porta do seu quarto e o encontrar fumando um Marlboro com os olhos vermelhos de tanto chorar.

Respirei fundo e continuei:

— Desse jeito fica bem claro por que ela te largou. Isso é música pra escutar na fossa?

Ele me lançou um olhar vazio e continuou fazendo o que estava fazendo antes. Nada.

— Bê, olha pra mim! Ela te largou, ok. Você a amava, o que eu acho um absurdo porque ela era uma vaca que usava roupas de oncinha, mas ok. Veja, ela te largar é motivo para felicidade.

Eu disse isso e abri um sorrisão na esperança de que isso o contagiasse. Mas ele continuava a não olhar a minha cara. Prossegui:

— Pois veja bem, agora você vai poder conhecer pessoas novas... Não vai ter mais que assistir ao *Faustão* no domingo...

Percebi que finalmente ele me escutava porque finalmente deu uma gargalhada. Isso, rapaz! Reaja! Vamos!

— Isabela, cara... Só você — disse balançando a cabeça de um lado para o outro. — Só você.

— Então, posso colocar uma música pra te tirar da fossa? É tiro e queda. Confia no que estou dizendo.

Ele assentiu e me observou com curiosidade, pois a maioria das músicas que eu escutava, bem... eram músicas de fossa eterna. Sempre fui mais de músicas calmas com um violão ao fundo. Mas quando o coração aperta, precisamos tomar medidas drásticas. Fui ao meu quarto e busquei um CD antigo que ganhei dos meus pais na viagem que fizemos a Porto Seguro, em 2006. Selecionei uma música e deixei rolar. Malha Funk ecoou pelo quarto e o Bernardo levantou de um pulo da cama, em direção ao som. Entrei na frente.

— Não, não. Você vai escutar.

"Esse é o malha funk. Os moleque são dengoso..." A música seguia com seu ritmo envolvente e sua letra precária, sem sentido algum. O Bernardo não entendeu de imediato, mas em alguns minutos já estava rolando de rir junto comigo.

— Tá vendo? Funk serve pra isso. Sempre funciona!

— Que onda. Isabela... você é muito louca. Juro que deve ter batido a cabeça quando era mais nova. Nós não *podemos* ser irmãos.

— Ah, mas somos. E eu sou uma ótima irmã, por sinal. O que é o seu coração perto de uma poesia dessas? "Quando vejo o rebolado dessa mina eu me acabo." — Fechei os olhos e fingi que estava absorvendo as palavras. Ele se divertiu.

Sempre que se sentir triste, coloque um funk na última altura. Se eu pudesse deixar um conselho para a posteridade, seria esse. E nunca mais tive que aturar músicas do Slipknot por dias seguidos no último volume. O Bernardo deixou de ficar enfurnado no quarto e voltou a sair com os amigos normalmente. A vida seguiu. E de vez em quando eu percebia que meu CD de Porto Seguro sumia da gaveta e o Malha Funk nos abençoava com um pouco de sabedoria. Acho que ele aprendeu a lição.

Tá triste? Escuta um funk na maior altura, mas aqueles funks bem pesados e loucos mesmo. Tenho certeza de que isso vai te arrancar um sorriso.

Lá pelas quatro da tarde, Amanda diz que está cansada de piscina e eu e o Gabriel decidimos dar uma volta pelo espaço do hotel conversando um pouco.

— Eu tive uma ex-namorada doidinha de pedra. Acredita que quando terminei ela disse que ia se matar? — Gabriel desabafa de repente.

— Não! — dou uma risada e logo me contenho. — Quero dizer, era brincadeira, né?

— Eu pensei assim — continua ele, pensativo, enquanto nos sentamos em um dos banquinhos de madeira que ladeiam o caminho. — Até receber uma ligação dizendo que ela estava no hospital. Acredita que ela fez o tio dela que trabalha lá me ligar só para me pregar uma peça? Cheguei desesperado ao hospital e ela estava lá, toda produzida, me pedindo para voltar.

Penso se um dia eu seria capaz de fazer algo do tipo. E não. Definitivamente, não. Já escutei casos em que a pessoa toma remédios para se matar depois que o namorado(a) termina e, sinceramente? Eu queria dizer a essas pessoas que elas não precisam de ninguém para viver. Gente, por favor. Vamos pensar comigo... Você nasce como um indivíduo e tem todos os elementos dentro de si para continuar vivendo. Não é como se o seu coração batesse em outros corpos, entende? O amor pode doer, e dói, dói sim.

Mas é só isso.

Você não pode deixar que o amor por alguém afete sua sanidade mental, muito menos que abale seu amor-próprio. A partir do momento em que você ama mais o outro do que a si mesmo, tem algo muito errado aí. Tirar a própria vida? Com que intuito? Com que propósito? Para causar dor em quem te causou dor? Lembre-se de que você não vai estar aqui para se divertir com isso. Então, se for para assustar o ex, que seja como a ex do Gabriel. Maquiavélica, sim, mas criativa. Vai dizer...

— Eu nunca tive um ex-namorado doido. Já tive um convencido — comento, lembrando-me do Gustavo —, mas isso é fichinha perto da sua ex.

Gabriel segura minhas mãos entre as suas e dá um beijo carinhoso nelas. Fico observando por uns segundos os seus olhos, que passam uma sinceridade fora do comum. Juro que sou capaz de acreditar em qualquer coisa que ele diga, mesmo que ele diga que veio de Marte e que mais tarde precisa voltar para a nave mãe. Ele sorri e declara:

— Eu não tive muitos relacionamentos. Só esse com a doidinha de pedra mesmo.

— Ah, eu tive vários. Mas todos fracassados, sabe? Parece que o único objetivo dos meus relacionamentos é estraçalhar um pouco o meu coração e deixá-lo igual a uma boneca de pano. Cheio de retalhos e costuras de diferentes tipos.

— Você sofreu muito, minha linda? — ele me pergunta, preocupado, agora segurando meu queixo.

Eu me desconcerto um pouco com esse ato de carinho repentino.

— Ah, não. Não! Definitivamente, não. Vida sofrida têm os que passam fome, quem trabalha dobrado para cuidar dos filhos, quem não tem um teto para morar... Eu fui só uma idiota mesmo. Daquelas que acreditam que as pessoas vão mudar, ou que um dia vão se tornar o que sempre imaginei. No fundo, a culpada da minha infelicidade sempre fui eu mesma.

— Não fala isso, vai — ele me conforta com um sotaque paulista que faz meu coração bater forte. — "Um bom poeta pode fazer uma alma despedaçada voar...".

Olho assustada para ele.

— Bukowski — ele afirma com a maior simplicidade do mundo. — Você só precisa de alguém para fazer sua alma voar.

— Só isso? Tão simples, né? Você viu isso onde, no Facebook? Aham.

— Foi. Mas, se quer mesmo saber, eu acho realmente simples...

Nesse ponto ele para de falar e me beija, e aí minha alma sacode uma das suas asas, como se me mostrasse que ainda é possível tirá-la do chão.

• • •

Ao chegar no quarto do hotel, abro meu computador e vejo que há um monte de comentários esperando para serem aprovados em um dos meus posts. O que é isso? Quer dizer que tem tanta gente assim lendo todas aquelas baboseiras que estou escrevendo? Céus, que vergonha!

"CONTINUE ESCREVENDO! Quero saber o resto da história!"

"Por que você está desesperada? Estou curiosa. Posta mais, posta, posta!!!"

"Adoro o P. Acho que vocês formam um casal fofo. Sou só eu?"

"Sua prima é uma vacaaaaaaaaa. Mereceu os puxões de cabelo... rs rs."

"Gente, e esse gêmeo? Que história é essa? Conta pra gente, Garota em Preto e Branco! Estou muito ansiosa para saber!"

Sempre gostei de ler, desde pequenininha. Comecei com *O Pequeno Príncipe*, passei por *Pollyana*, fui até *As brumas de Avalon* e nunca mais parei. Era fissurada por palavras, ainda sou. Quando meu pai reclamava que estava sem dinheiro para me comprar um livro novo, eu relia os que já tinha. Li cada livro do Harry Potter umas sete vezes, sem brincadeira. Eu não me importava em reler histórias das quais já sabia o fim; na verdade, eu amava. Jamais gostei de incertezas ou surpresas. Acho que é por isso que leio livros tão rápido. Nunca fico mais de uma semana na mesma leitura, pois preciso saber o fim da trama o mais rápido possível. Então, reler um livro é como ouvir uma história gostosa da qual você já conhece o fim. Dá um alento no coração do tipo "Ei, fica tranquila. No final tudo vai se ajeitar". Porque é assim, né? No final, tudo se ajeita. Às vezes não da forma como queremos, mas da forma que dá.

É normal eu olhar as fotos de autores no fim dos livros e me pegar pensando "Por que não eu?", o cantor Leoni que o diga. Eu sonhava com o dia em que minha foto estamparia a última página de um livro e me orgulharia de ter me tornado uma daquelas pessoas que tanto admirava. Mas isso nunca aconteceu e, tudo bem, a vida é uma fábrica de sonhos e me contento em sonhar. Sabia que não era para ser, porque simplesmente... Ora. Eu tenho inúmeros rascunhos de livros. Eu não tenho a persistência, muito menos a confiança, que um escritor precisa ter. Quero dizer, escrever um manuscrito e bater de porta em porta pedindo que o publiquem? E se eles disserem que sou horrível? Acho que não conseguiria conviver com isso.

Ao criar um blog, eu só queria ter um lugar reservado e anônimo para desabafar, coisa que já não fazia há alguns anos nos meus diários. Papel e caneta não conseguem transmitir os pensamentos na velocidade que eles vêm. Enquanto escrevo uma frase, três outras se formam na minha cabeça. E no computador, bem, eu escrevo uma página em dez minutos, sem brincadeira.

    Confesso que me assustei com os comentários. Mas é reconfortante saber que alguém do outro lado do mundo talvez esteja lendo o que escrevo e se identificando com as coisas por que passo. É incrível o poder que as palavras têm de nos unir. Aceito os comentários, dou um sorriso satisfeito, fecho o computador e vou até o banheiro falar com a Amanda, que seca os cabelos com o secador do hotel. Pergunto:

    — E aí, qual a programação da nossa sexta-feira à noite?

    — Pensei em conhecermos o Bar da Vila da Costa do Sauípe. O Pedro disse que vai ter música ao vivo lá hoje.

    — O Pe-pe-dro? — gaguejo. Eu precisava ir na fonoaudióloga, porque, olha, isso já está fora do normal. — Ele vai?!

    — Lógico, Isabela. Desde quando o Pedro não vai com a gente nos lugares?

    Arregalo os olhos na direção dela. Acho que ela entende o que quero dizer e se adianta:

    — Pelo menos até você dar uns amassos no *suposto* irmão dele... Tá, tá, já entendi. Mas, sim, ele vai. Reze para o Gabriel não aparecer por lá.

    — Ele não vai. Disse que ia com os amigos em um luau ou coisa do tipo. Enfim — respiro fundo —, ok, então barzinho.

    — Isso, barzinho... — ela concorda ajeitando os cabelos lisos e negros. — Isa, olha. Eu sei que você está preocupada, mas não pode se culpar por isso. Se ele for mesmo irmão do

Pedro, você não tem culpa alguma. E, poxa, o garoto é legal. Legal mesmo. Até o Pedro gostaria dele se conhecesse melhor.

— Não, não, não. Eu não quero que eles se conheçam. Mandy, eu quero é que essas férias acabem logo, é isso que eu quero. Ainda bem que temos mais só dois dias. Hoje já sei, com certeza, que não vou encontrar o Gabriel. Amanhã tem o encerramento do Sunshine Festival e eu só preciso me esconder durante toda a festa. Pronto. Tudo ficará resolvido.

— É. Acho que você vai ficar bem. Vai. Vai ficar tudo bem — e percebo incerteza na voz dela.

Não gosto de "Vamos ver", "Quem sabe", "Acho", "Talvez semana que vem". Quero tudo sempre agora. Hoje. Com certeza. Vai dar certo.

Será que é normal se sentir assim? Ter medo do que não podemos controlar? Eu gosto de segurar o leme e guiar para onde meu barquinho vai navegar. Verdade que ele é um barco de papel, assim como eu sou uma garota de papel (li isso no livro *Cidades de papel*, do John Green, e desde esse dia nunca me esqueci dessa expressão). O que não faz nenhum sentido. Como um barco de papel navega em águas profundas sem afundar? Ora. Aí é que está. Barcos de papel são mais resistentes do que qualquer outro pelo simples fato de saberem que são mais fracos. Isso faz algum sentido?

Somos mais fortes quando temos consciência de que somos feitos de papel e sabemos que podemos nos quebrar com o mínimo toque. Tentamos a todo custo driblar nossas fraquezas, nos esforçamos para ser o melhor que podemos. Ao mínimo sinal de um pequeno rasgo, toda a embarcação se põe a postos para o conserto. Tudo muito harmonioso. Se alguma coisa não funciona, nada mais funciona. A viagem não segue se tudo não estiver nos devidos lugares.

É assim na vida. Me sinto fraca às vezes, como se tivesse perdido o controle da embarcação e afundasse aos poucos. Mas então me lembro de toda a força que guardo escondida por trás dessa casca de menina-mulher e me reconstruo. Renasço.

Somos todos feitos de papel. Uns de cartolina colorida, outros de grossas camadas de papelão. Eu? Uma fina página rasgada em preto e branco.

O Bar da Vila é o máximo e logo, logo entendi o motivo de sua fama pelos arredores. Apesar de figurar entre vários *resorts* e competir com diversos *lounges* e boates chiquérrimos, estar nesse lugar é se sentir em casa. As paredes são de madeira e dão um ar rústico. Todas as mesas têm velas e a iluminação é bem baixa. O ambiente incita a fazer coisas que você não faria em um lugar iluminado. O dono do bar, Seu Portuga, como o chamam, é um senhor bigodudo muito simpático que a toda hora vem à nossa mesa falar que estamos bebendo pouco. Pouco? Querido, eu já bebi dois drinques e nem meu nome eu sei pronunciar mais. E você acha pouco? Isso é demais para mim.

Não posso beber tão rápido. Mas tudo bem, ele só está querendo ser simpático.

O Pedro, como sempre, já fez amizade com todo mundo do bar, inclusive com os caras da banda que está tocando hoje. Noto o papo animado deles de longe e me lembro de um antigo sonho do Pedro de ter uma banda. Isso começou quando ele era adolescente e tocava na falida Fallen Star com o Tiago (aquele que me deu o fora ano passado) e outro garoto cujo nome esqueci (eu nunca soube o nome dele, acho).

Todos nós temos sonhos, mesmo que poucos se realizem. É como se nem todo mundo tivesse uma fada madrinha para abençoar. Eu sei que não tenho, porque, olha, não tenho mesmo a sorte ao meu lado. Veja bem, só hoje já consegui fazer o meu cabelo agarrar naquele aparelho de fazer cachos (Miracurl); rasgar meu vestido assim que cheguei ao bar porque o enganchei em um prego e saí andando; derrubar o meu provável terceiro drinque em cima da mesa toda. Essa é a minha vida.

Aqui não tem muito o que fazer, sabe? Só aceitar que não vim a este mundo para ser glamourosa e certinha, daquelas que não têm um fio de cabelo em pé e estão sempre contando a própria vida perfeita. Eu falo alto, faço feio, não sou certinha, às vezes me esqueço de cruzar as pernas como uma "lady", minha risada é escandalosa, em geral não me importo com a opinião dos outros e sou metida a "sabe-tudo". Se isso me torna menos atraente? Que se dane. Tem quem goste.

Escuto uma voz conhecida inundar o ambiente e quando olho para o palco à procura de quem está cantando, vejo o Pedro. Segurando um violão e cantando. Fico tão atordoada por uns segundos que nem consigo escutar a música direito. Eu me concentro. Digo pro coração acalmar os batimentos. Ele está cantando... Ah, não, não, não. Ele está cantando minha música preferida do Kid Abelha.

Longe do meu domínio 'cê vai de mal a pior
Vem que eu te ensino como ser bem melhor...
Uuuuu! Eu quero você como eu quero...

Fico toda arrepiada. Ele está fantástico no palco. A jaqueta de couro, a blusa que deixa um pouco do peito à mostra, os cabelos bagunçados jogados de lado, a cicatriz que eu tenho certeza que ninguém mais percebe, só eu. O Pedro está à vontade, como se pertencesse a esse mundo e fosse um cantor internacional de uma banda famosa.

Todos do bar cantam em coro ao som de "Como eu quero" e eu tento entrar no ritmo. Se não conhecesse o Pedro, acho que me apaixonaria. Sei disso porque todas as garotas olham para ele esperançosas e posso jurar que, depois da apresentação, elas vão pedir um autógrafo ou coisa semelhante. Ele causa esse tipo de impacto nas pessoas.

Tento puxar na mente as vezes que o vi cantar. São raras. Achei que ele tivesse deixado isso de lado, esse lance de música, ou que talvez não se sentisse confortável em mostrar sua paixão para mim e para a Mandy. Mas não tenho dúvidas, essa voz... É a voz de um apaixonado. Por música. Por alguém... Ele parece mesmo querer dizer cada palavra que diz. Com convicção. A música tem esse poder sobre nós. Ela nos transborda em sentimentos, e até os mais céticos se transformam em apaixonados com o coração em frangalhos.

Quando acaba, ele agradece ao pessoal da banda e se despede da plateia. Os aplausos tomam conta do lugar. Fico arrepiada de novo. Eu tenho alguma coisa com arrepios. Sempre que algo me emociona ou inspira, me arrepio. Arrepio ao ver um ato de solidariedade na rua e ao ouvir uma criança de cinco anos falando sobre o amor. Arrepios são nossa alma querendo se manifestar. Sei disso.

— E aí, o que vocês acharam? — Pedro pergunta.

Ele se senta à mesa e toma um gole demorado de cerveja.

— Caramba, onde você tem escondido esse talento todo? — Amanda elogia e faz um brinde a ele.

Ele se diverte com a pergunta e sorri.

— Não gosto de mostrar meus truques por aí. Sério, estava com saudades de tocar e cantar! E, convenhamos, minha banda nunca teve um público como este aqui. Nem qualquer outro que não fosse de mães.

— Você foi fantástico! Veja só... olhe disfarçadamente para a sua direita. — Mandy aponta com a cabeça. — As garotas da mesa ao lado já são suas fãs.

Lanço um olhar de reprovação para as meninas histéricas. Elas conversam com a mão na boca e olham para o Pedro como se ele fosse o Adam Levine. Peraí, né? Ele cantou uma música só e nem foi tão boa assim. Tá. Talvez tenha sido muito boa. Mas é motivo para essa histeria toda? Eu, hein! As meninas de hoje em dia estão cada vez mais oferecidas.

— Branquela? — Pedro está acenando suas mãos na frente do meu rosto, a fim de chamar minha atenção. — Você não curtiu? Tá quieta.

Se eu curti? Querido, você cantou uma música da minha banda nacional preferida. Se eu curti? Eu curtiria até se você cantasse mal e fosse gago. Porque Kid Abelha faz parte da minha infância. Sempre que escuto as músicas deles me lembro de quando era mais nova. Acordava todos os dias ansiosa e corria para minha caixinha de fitas. Pegava a mais velha e gasta de todas e colocava no som. Aos três anos eu já havia aprendido a mexer no som lá de casa, culpa do meu pai, que sempre foi fissurado em música. Então eu apertava o botão de play e dançava por horas. Se pudesse, e minha mãe deixasse, dançaria o dia inteiro.

— Branquela? — ele me chama de novo.

Percebo que Amanda e Pedro me lançam olhares ansiosos como se eu estivesse bêbada ou algo do tipo.

— Eu achei péssimo mesmo, se você quer saber — implico.

— Hum. Tudo bem se eu não te impressionei. Pelo menos a outra metade do bar discorda de você — ele se gaba e coloca as mãos na nuca, confiante.

— Argh, por que você é tão insuportável?
— Por que você não admite que gostou?
— Porque eu não gostei.

— E por que eu vi um sorrisinho quando você me viu lá no palco cantando?

— Porque achei ridículo — brinco.

— Tá.

— "Tá" que você achou ridículo ou "tá" que você gostou?

Solto uma gargalhada porque percebo que consegui irritá-lo.

— Vai se ferrar, Pedro! EU AMEI!

Ele me olha satisfeito e aliviado. Será que por algum momento pensou que eu realmente estava falando sério?

— Ah... Nossa. Você... gostou mesmo? Pensei em cantar alguma música nacional porque a galera curte, né? Ia cantar Nando Reis, mas lembrei que nenhuma de vocês duas gosta muito dele. — E Amanda e eu fazemos uma careta. — Então cantei Kid Abelha, porque, bem, essa música é demais!

— Essa música me lembra o Victor, que me lembra que nós terminamos, que me lembra que eu não tenho ninguém para dedicar essa música — confessa Mandy, virando mais um copo de cerveja.

— Eu também não tenho ninguém para dedicar essa música — Pedro dá de ombros —, mas eu não ligo. Dedico a um amor futuro.

Ele brinda no ar. Entro no assunto:

— Somos três. Nunca fiquei tanto tempo sem ter um alguém na minha vida.

E isso é em parte verdade, até a parte em que o Gabriel apareceu etc. e tal.

Pedro me olha desconfiado. Céus! Ele sabe de alguma coisa, sinto que sabe. Sua sobrancelha esquerda está arqueada, como ele sempre faz quando está solucionando um problema ou escutando uma das minhas histórias mirabolantes porque preciso de um conselho rápido. Tento não transparecer medo. Uma vez li em uma revista que os animais sentem o medo exalar da pele da sua presa. Foco, Isabela. Foco.

Nesse instante, sou uma presa fácil.

—Ah, é? O Tiago me contou que te viu aos beijos com um cara na piscina hoje.

Quê? O Tiago?! TIAGO? Aquele Tiago em quem eu dei uns beijos ano passado e que me deu um pé na bunda sem mais nem menos? O Tiago, aquele careca supergato de olhos verdes? Peraí, e desde quando o Tiago e o Pedro são amigos? Tipo *muito* amigos? Tá, eu sei que eles já tocaram na mesma banda e que são vizinhos há anos. Tá bom, eles *são* muito amigos. Mas pensei que, depois do que ele fez comigo, o Pedro ficaria do meu lado. E outra, eu nem vi o Tiago aqui na Costa do Sauípe. Ele está aqui? Todo mundo está aqui? Nunca imaginaria que ele estivesse por aqui, afinal, ele já está *formado*. E isso aqui é uma viagem de *estudantes*. Droga. Não sei por que estou com um ódio danado. Não bastasse o cara ter me dado o fora no passado, ele ainda tinha que bagunçar o meu presente.

— O que o Tiago tem com quem eu beijo ou deixo de beijar? Eu, hein!, que cara sem noção!

— O Tiago veio pro Sunshine Festival, Pedro? Eu não sabia — Mandy pergunta, curiosa. — Ele já não se formou em medicina?

Boa, amiga. Boa.

— Sim, ele já se formou. Mas resolveu vir pra curtir, já que não entrou no fundo de formatura e não teve festa. E não muda de assunto, bonitinha — ele se refere a mim. — Quem você está beijando por aí que não me contou ainda?

Penso duas vezes antes de responder. Talvez, se eu dissesse: "*Ah, estou beijando um cara chamado Gabriel. Na verdade, eu queria mesmo falar disso. Eu beijei o Gabriel um dia antes de você me contar sobre o seu irmão e, poxa, ele beija bem. Beija muito bem. E ele é gato, né? Então, quando você me contou, eu juro que pensei na possibilidade de nunca mais ter contato nenhum com ele, visto que ele podia ser seu irmão e coisa e tal. Mas quando ele apareceu com aquele tanque de lavar roupas, ah, Pedro, eu também sou filha de Deus! Inclusive eu acho que vocês dois deviam fazer as pazes, sabe?, caso ele seja seu irmão perdido, o que eu ainda torço para que não seja, porque aí eu poderia viver com mais leveza... Inclusive vou ligar para ele agora e chamar pra ele vir pra cá. Sei que vocês se tornarão melhores amigos*". Ahn... Acho que não. Limito-me a dizer:

— Um cara que eu conheci por aí. Ninguém muito importante, por isso não contei.

Não olho nos olhos dele enquanto digo essas coisas precárias. Não sei mentir olhando no olho das pessoas. Simplesmente não sei.

— Ahn... Entendi — desconfia ele. — Mas se isso se tornar sério diga a ele que precisa da minha permissão.

— Há-há-há. Como você é engraçado. Sério? Fez curso!? — me divirto.

— No fundo você sabe que precisa.

É. Eu sei que preciso. Não sei por que nem quando as coisas ficaram confusas desse jeito, mas o Pedro faz parte da minha vida e eu não estou preparada para abrir mão disso tão cedo.

Talvez nunca.

CAPÍTULO 5

Sempre fui minha maior decepção

http://garotaempretoebranco.com.br

A pior coisa que poderia acontecer, aconteceu. Já era, já era, já era... Todos os meus medos se tornaram verdade e o que a gente faz quando é confrontado com um beco sem saída? Uma nuvem cinzenta de fumaça me envolveu, estou sufocada e com vontade de ceder ao peso dos meus joelhos, que insistem em me derrubar. Quero cair aqui mesmo e por aqui ficar. Quem sabe tudo não se resolve?

A verdade é que preciso parar com essa minha mania de fugir dos problemas. Eles existem, são reais e estão esperando por uma atitude madura de minha parte. Mas quando se é um completo idiota com as pessoas que se ama, como se desculpar depois? Como recompensamos a dor que causamos no coração do outro? Como apagamos o que não se apaga? A vida não deixa margem para erros.

Eu errei. E o que tenho vontade de fazer é gritar ao mundo o quanto estou arrependida disso. Alguém aí pra me escutar? Eu preciso de vocês...

O P. descobriu tudo. Tudinho. O que eu faço?!?!

Postado por Garota em Preto e Branco no dia 29 de janeiro às 05:17

4 DE 102 COMENTÁRIOS.   COMPARTILHE

Carol comentou:
Não, não fala isso. É brincadeira, né? Então o G. era o mesmo G. irmão gêmeo do seu melhor amigo? Poxa =(você tem que consertar isso...

Rê comentou:
Caramba, meu coração doeu só de ler isso. Sinto como se fosse sua amiga e sinto sua dor. Você vai conseguir dar um jeito nessa situação.

Dri comentou:
Você faz tudo errado. Tudo. Mas eu te adoro, garota! Fica bem!

Mat comentou:
Digo como um homem que tem amigas, e me coloquei na situação do seu amigo... Ele vai te perdoar. Só dá um tempo para ele, viu? Beijo, menina linda!

Não consigo dormir. Os sentimentos se embaralham no meu estômago e as dúvidas crescem em minha mente. Estou sentindo alguma coisa cujo nome não sei qual é. Você já sentiu isso? É um misto de ansiedade com... todos os tipos de animais no estômago. Mas não é aquela sensação gostosa de estar apaixonada, não. Isso não faz parte de quem eu sou no momento. Apenas sei que as dúvidas consomem aos poucos o resto de sanidade que ainda possuo.

Na minha mesa de cabeceira meu celular se ilumina. Espio e uma mensagem surge.

Gabriel: "Pensei em você a noite inteira".

Um iceberg percorre meu corpo. Estou fazendo a coisa certa? Aliás, o que é a coisa certa? Sempre vi nos filmes e livros que seguir o coração é o melhor caminho. Mas o que meu coração está dizendo neste momento? Com certeza balbucia palavras em outro idioma, porque não o entendo muito bem. Confuso, caduco, pedindo por um auxílio. Vá por ali ou talvez por aqui? O caminho da direi... Não! Não! O da esquerda.

E cada vez a vontade de correr por aí, sem rumo, aumenta. Apenas... correr. Fugir da realidade, para bem longe.

Quando as coisas ficam assim tão confusas, tenho vontade que me digam o que fazer. É, esse é o meu jeito de evitar que eu seja a culpada por um desfecho trágico. A ideia de ter de escolher e ter de viver com o peso da minha escolha para sempre me assusta. Então é melhor tirar na sorte. Par ou ímpar. Pedra, papel, tesoura. Bola de cristal. Por favor, me digam o que fazer.

Hoje é o grande dia. A hora da festa de encerramento do Sunshine Festival na Costa do Sauípe se aproxima e eu não faço a menor ideia do que esperar desse dia. Não sei o motivo, mas a minha prima está agindo como se fosse a um baile de formatura. *Por favor*, que vergonha. Eu sempre sonhei em ter um baile de formatura no estilo daqueles dos Estados Unidos, com um par lindo e fofo que levaria uma flor para colocar na minha mão e usaria uma flor combinando no bolso do terno.

Mas, alô!? Estamos no Brasil. Se o cara levar uma bala Halls para o encontro de vocês isso já é muito. Motivo para casar. Ah, eu estava falando da festa de encerramento. Minha prima acha que precisa de um acompanhante para a festa. Penso em dizer a ela para largar de ser jeca, que lá ninguém é de ninguém, mas deixo que faça papel de trouxa. Cansei de ser legal, ok?

Eu sei que *eu* não estou nem um pouco empolgada. Nem a Amanda. Não temos interesse algum nessa festa. Amanda, por estar ainda vivendo um pouco da sua fossa pós-término de relacionamento, e eu porque meio que estou com medo de encontrar meus dois martírios. Que, por sinal, me enviaram mensagem hoje logo pela manhã.

Pedro: "Te vejo na festa hoje, né? Não que eu queira te ver".

Gabriel: "Vamos juntos pra festa? Estou com medo de não te encontrar na multidão".

Não respondi para nenhum dos dois porque não sei o que dizer.

E não entendi muito bem o Pedro se preocupando em me encontrar na festa porque 1) com certeza nos toparíamos por lá; 2) e mesmo que não nos encontrássemos, isso já aconteceu várias vezes em outras festas; 3) e ele nunca se importou com isso.

Ah, e o Gabriel foi fofo, vai? Mas eu não posso me encontrar com ele. Não até toda essa história de irmão-gêmeo-gato-que-eu--beijei-sem-querer ter se esclarecido.

Confesso, tenho mania de adiar sofrimento. Adio conversas inadiáveis, sou viciada em fazer provas de segunda chamada e, sempre que erro, demoro um bom tempo para admitir. Preciso de tempo para processar — e aceitar — que o sofrimento virá. Ele não pode me pegar de surpresa, qual é? Preciso me preparar para sofrer debaixo da minha coberta.

Sabe? É como se você estivesse em alto-mar tendo ao redor somente água. Nada de terra à vista. Nenhuma embarcação para salvar. Você sabe que em breve vai morrer, provavelmente vai ser mordido por um tubarão ou perder as forças para nadar e se entregar ao fundo do oceano. Mas você continua lutando até o último minuto. A esperança de que tudo se ajeite nunca vai sair da sua mente.

Nesse momento escuto alguém batendo na porta do nosso quarto, corro para espiar pelo olho mágico e vejo meu irmão segurando sua inseparável bola de basquete. Bernardo. Abro a porta um pouco decepcionada. Esperava, no íntimo, que fosse o serviço de quarto com nosso almoço.

— E aí, fedelha! O que tem aprontado? — pergunta ele, exalando um cheiro de suor por cima da camisa.

Dou de ombros:

— Nada... Estou com fome.

— Hum... — Ele corre os olhos pela bagunça do quarto e se estira em minha cama. Não, Bernardo, não. Ela estava tão cheirosinha, tão gostosa... Tão... fedorenta agora. — E hoje à noite? Tá empolgada com a festa?

— Não — respondo duramente. — Vou só porque não tem nada mais interessante para fazer.

— Você é meio louca, sabia? Não parava de falar nessa viagem um segundo antes de virmos, aí, quando tá aqui, faz pouco caso.

Ele está certo. O que ele não sabe é o motivo repentino do meu "desânimo", mais conhecido como medo-de-ser-descoberta.

— Eu SOU LOUCA. Sempre fui. Foi perceber isso só agora? Toma aqui um pirulito por sua percepção aguçada — respondo e cravo os olhos nele tentando entender por que ele está suado e fedorento na minha cama.

Ele se levanta.

— Vocês, mulheres... Essa é uma festa normal como todas as outras. Mas a nossa prima Nataly não está pensando assim. Quem foi que disse que ela tinha que ir acompanhada de alguém? Você?

— Claro que não! — nego, revoltada.

Como ele poderia pensar isso de mim?

— Mas você também não falou que não precisa, né?

Droga. Droga. Por que irmãos sempre sabem o que se passa em nossa cabeça?

— Não. Não falei. Não é como se fôssemos amigas — digo, sincera.

Qual é? A menina me odiava e eu devia dar conselhos de boa etiqueta a ela? Eu não.

— Ah. Vocês que se resolvam com os problemas de vocês. Só vim aqui te perguntar se é uma boa ideia ela ir com esse seu amigo.

— Que amigo?? QUE AMIGO?

— Ué, ela vai com o Pedro. Achei que vocês contassem tudo um pro outro. E, na boa, não confio nesse cara. Ele tá sempre aprontando...

Olho para o meu irmão. Ele não vai mesmo com a cara do Pê. Fico com os olhos semicerrados. Sério? Tipo, sério? Não sei o que dizer. Então é assim? Eu não respondo à mensagem e ele convida a Nataly para ir a essa festa ridícula? Ou será que foi ela que convidou o Pedro? Isso é bem a cara dela. Na verdade, essa é *exatamente* a cara dela. Fico p. da vida, quero dizer, nós não estamos nos falando desde que puxamos o cabelo uma da outra. O Pedro não sabe disso. É. Mas ele poderia *perceber*, né? Ele não lê minha mente e coisa e tal? Faz parte do que é ser melhor amigo.

— Ai, Bernardo. Deixa de ser idiota. A Nataly não é nenhuma santinha, muito menos sensível. O Pedro é que deveria se preocupar, sinceramente — digo, tentando disfarçar minha confusão.

— Bom, recado dado.

Em seguida ele afaga meus cabelos e continua:

— Vê se não apronta hoje, hein? Não quero ficar de babá.

— Desde quando você me ajuda em alguma coisa, Bernardo?

— É. Verdade. Mesmo assim, se cuida. Mamãe fica preocupada.

Ele atravessa a porta em direção ao corredor, que, naquela hora, já está entupido de pessoas andando de um lado para o outro, ansiosas. Pego o celular e decido mandar uma mensagem.

> Isabela: "Então você vai com a Nataly na festa de formatura hoje? Ai. Que bonitinho. Tão fofo!!!!! Não esquece de buscar ela de limusine na porta do hotel, hein?"
>
> Pedro: "Ahn? Festa de formatura? Enfim, vou com ela na festa de encerramento, se é isso que você quer dizer. Você nem responde minhas mensagens, achei que não quisesse me ver".
>
> Isabela: "Até porque precisamos combinar de nos ver antes de festas, aham, sempre foi assim, né?"
>
> Pedro: "Mas hoje eu queria que fosse assim".

Isabela: "Não enche, Pedro. Precisava disso? Nataly? SÉRIO? Por que isso?"
Pedro: "Qual o problema? Na última vez que cheguei vocês eram primas. Isso mudou?"
Isabela: "Isso não quer dizer que eu goste dela".
Pedro: "Você está com ciúme".
Isabela: "E você está se achando demais".
Pedro: "Pode admitir que você está com ciúme. Não vou contar pra ninguém".
Isabela está off-line.

Ai, que ridículo. É isso que o Pedro é, ridículo. Vontade de pegar o rostinho bonitinho dele e quebrar em mil pedacinhos. Torcer um por um, até não sobrar nada. Argh.

Sempre tive uma teoria na vida: se quiser ficar ao meu lado, fique. Se quiser ir embora, dou tchauzinho. Não gosto de implorar para que gostem de mim nem para que me deem atenção. Nunca fui disso. Acho que as coisas precisam fluir naturalmente, entende?

Um dos meus ex-namorados, aquele que parecia o Bob Marley e me dedicava reggaes (sem fazer a mínima ideia de que eu odiava isso), é um exemplo clássico de que tentar fazer ciúme só afasta quem a gente tenta atingir. Me lembro direitinho da primeira vez que ele tentou me tirar do sério.

— Linda — disse, mascando um chiclete. — Hoje vai ter uma festinha na casa da Luiza da minha turma, mas ela disse que só podem entrar pessoas da sala. Você entende, né?

Refleti sobre minhas opções por alguns segundos. Eu poderia, sim, dar uma lição de moral e obrigá-lo a me levar na tal festa. Poderia também brigar e não deixar que ele fosse. Poderia chorar, espernear e fazê-lo se sentir mal. Mas o que fiz? Bem, eu sorri e disse:
— Claro. Aproveita! Depois me conta tudo, hein?

Ele não entendeu nada, claro. Mas se você quer mesmo saber o final da história, ele foi na tal festinha. E eu? Sumi. Mensagem, telefone, carta, sinal de fumaça. Ele não conseguiu me encontrar por nenhum desses meios. Hoje eu sei que temos de deixar as pessoas livres para que elas façam as próprias escolhas e, assim, aprendam a conviver com as consequências delas.

Não que eu não seja ciumenta, porque, olha, eu sou. Alguém encosta no cabelo da minha melhor amiga e já me arrepio, cara, ela é *minha* melhor amiga. Menos intimidade, por favor. Então é óbvio que estou com um pouquinho de ciúme do Pedro, sim, vou confessar. Coisa que eu nunca havia sentido antes, mas também, pudera, ele nunca tinha se metido com a *minha prima. Com a minha prima que havia puxado o meu cabelo.* E por mais que ele não valha muita coisa, ela é pior ainda. É nítido que ela só quer ficar com ele para tirar uma foto e postar no Instagram.

E, claro, me provocar.

A multidão da festa está maravilhosa. Eu odeio multidões devido à minha claustrofobia, mas essa não é uma multidão daquelas que te fazem se equilibrar na ponta dos pés para poder sentir um pouco de ar puro. É uma multidão organizada (isso existe?!). Grupinhos aqui e ali em volta de fogueiras, deitados em quiosques, sentados nas mesinhas colocadas ao longo da praia, bebendo. No palco principal, os alto-falantes tocam "Cool kids", da banda Echosmith, e logo me empolgo, eu amo essa música!

Ainda estou irritada devido à conversa com o Pedro. Estou com um nó na garganta com medo de topar com ele a qualquer momento. Enquanto esperamos para comprar as bebidas, observo um casal na nossa frente, na fila. Tão felizes, despreocupados... Se beijam calmamente, como aqueles casais de clipes que se beijam em harmonia com a música. Será que algum dia em toda a minha existência isso poderá acontecer? Duvido, viu? Eu gosto de complicar. A verdade é essa. Entre um monte de garotos interessantes, com qual vou me relacionar? Pois é. Com o provável irmão babaca do Pedro. Que ele odeia e que de babaca não tem nada. Culpa da Amanda, ah, se é... Melhor: culpa daquele idiota do ex-namorado dela, Victor. Se não fosse ele, a Amanda não teria ido chorar sozinha em um quiosque, o Gabriel não teria se preocupado, eu não o teria conhecido e, tcharãns, felizes para sempre.

Sinto uma mão me cutucar no ombro e me viro para ver quem é. Marina. Claro, estava demorando a aparecer. Ela veste um short e um top azul que deixa a barriga à mostra. Como sempre. O piercing no umbigo aparecendo. Ah, não posso deixar de dizer: ela tem uma coroa de flores na cabeça que, imagino, seja para deixá-la mais meiga. Haha. Piada.

— Oi, Belinha! Que bom que te achamos, me-ni-na! Estávamos procurando por vocês — diz ela, e lança um olhar de desprezo para a Amanda, a meu lado.

Quem me chama de Belinha? Isso é nome de cachorro, na boa. Rosno. Achamos? Estávamos? Quem? Fico na ponta dos pés e, a alguns metros de mim, vejo a Nataly empoleirada nos braços do Pedro como um papagaio de pirata. Pedro conversa com um garoto de óculos escuros, sem camisa, e ela finge prestar atenção na conversa deles, decerto desinteressante e masculina. Bufo. Esta noite vai ser longa. Minha vontade é sair correndo para o quarto do hotel.

Forço um sorriso enorme para a Marina e digo com o maior entusiasmo que consigo reunir:

— Ai, que máximo! Fura fila aqui junto com a gente!

Amanda segura o riso e o bartender anuncia que chegou a nossa vez de fazer o pedido. Peço duas tequilas, uma para mim e outra para a Mandy. Marina pede um "cos-mo-po-li-tan". Assim mesmo, pausado. Viramos a tequila de uma vez só e meus pés saem do chão por uns segundos. Todo o meu corpo se aquece. Aquele gosto amargo se instala na minha garganta. Agora, sim, posso aguentar esta noite. E que fique claro, odeio tequila com todas as minhas forças. Mas, em situações como esta, um pouquinho de álcool é o que nos mantém com um sorriso no rosto.

Reparo que, enquanto bebemos, Pedro se desvencilha da Nataly e vem para o nosso lado. O sorriso torto no rosto, os cabelos negros bagunçados e as roupas jogadas de sempre. Esboço um meio sorriso para ele e deixo que se aproxime. O coração acelerado.

— Você? Bebendo tequila? Vai precisar de alguém para cuidar no final da noite, hein... — implica.

— Que nada, essa vai ser a única dose da noite.

— Ah — diz um pouco decepcionado —, então, tudo bem. Acho.

— Tudo ótimo.

— Ótimo...

Ele me encara com os olhos azuis intensos, como se esperasse algo da minha parte. O que ele quer? Que eu peça desculpas de joelhos no milho pelo que houve mais cedo? Porque, olha, isso não vai acontecer. Não mesmo. Quem merece ouvir uma desculpa sincera sou *eu* e, até onde sei, não estou lançando olhares sérios e carregados de mistério para ele. Ele pega minha mão direita, enlaça nossos dedos e olha distraído para a festa ao redor.

— Está tudo bem entre a gente? — questiona, estreitando os olhos em minha direção como se isso fosse um instrumento para ver se eu ia mesmo falar a verdade.

— Claro. Tudo bem. Na boa. Normalzinho. Nunca esteve tão normal em toda a nossa vida!

Droga! Por que eu sempre falo mais do que o necessário? Agora eu praticamente acabei de admitir que não tem nada de normal entre a gente. Desvencilho minha mão da dele.

— Aham... Eu te conheço, branquela. Qual o seu problema com sua prima, afinal? Você não me contou nada.

— Problema nenhum — desconverso.

— Isa... Fala a verdade. O que aconteceu entre vocês?

— Elas caíram no tapa... por causa de você — interrompe Amanda.

Cara, tenho vontade de socar a cara desta japa. Eu aqui tentando manter minha dignidade em dia e ela jogando tudo pelo ralo. E que negócio é esse de "por causa de você"? Eu estava brigando porque a Nataly é uma idiota. Apenas por esse motivo.

— Quê? Vocês duas brigaram por minha causa?

O tom de satisfação misturado a espanto em sua voz me deixa estressada.

— Não, lógico que não. A briga foi por outros motivos. A Amanda quer dramatizar.

Sinceramente, eu mereço amigos melhores. Amanda dá de ombros:

— Se você diz...

E, virando-se pro Pedro, manda:

— E deixo clara minha opinião: você, Pedro, com essa Nataly? Bola fora, meu amigo. Ela é uma Marina piorada.

— Eu não tô ficando com ela. Só aceitei vir porque ela quase chorou dizendo que ninguém queria vir com ela. Não entendi por que ela queria tanto um acompanhante, mas vim, né?... Fiquei com pena... E como ela é sua prima, Isa, achei que estava sendo legal. Só isso.

Homens, sempre tão inocentes... É claro que ela estava sem ninguém para acompanhá-la, coitadinha. A verdade é que ela queria o Pedro. Porque o Pedro é o meu melhor amigo. E porque ela tem uma obsessão louca por me irritar. Simplesmente isso.

— Ai, Pedro. Deixa pra lá! Pode curtir sua noite com a Nataly. Hoje não estou nos meus melhores dias mesmo... Não seria uma boa companhia pra você. Pra ninguém, aliás.

E, na boa, estou sendo sincera, quero mais é que eles aproveitem a festa e me deixem de lado com minhas angústias.

— Isabela... Você sempre é uma boa companhia. Até quando está do avesso, tipo hoje — diz Pedro, me surpreendendo.

Encaro meus pés, tenho vergonha de olhar para ele. Ele segura meu queixo com a ponta dos dedos:

— Se precisar de mim é só gritar. Sabe disso, não é?

Sei.

Amanda e eu resolvemos curtir a festa em outros cantos, afinal, de que adianta estar em outro estado se você só vê ao redor as mesmas pessoas de sempre? Queríamos conhecer gente nova. Na verdade, quem quer é a Amanda, porque isso a mantém longe da internet, o que significa que ela não vai atualizar de dez em dez segundos o perfil do ex. Acho bom. Na primeira oportunidade, fugimos da turminha "Marina-Nataly-e-cia" e abandonamos o Pedro por lá.

Hoje seremos só nós duas.

Compramos mais duas doses de tequila (preciso confessar que bebo tequila parcelado em cinco vezes, porque acho muito forte) e vamos para a frente do palco principal dançar ao som de Tove Lo. O legal desses festivais é a vibe boa que é transmitida. Todos com os olhos fechados deixando que a música penetre na alma. É como se todo mundo estivesse procurando um propósito para ser feliz. Um motivo para sorrir e continuar ali. Eu também procuro o meu.

Sinto meu celular vibrar no bolso de trás do short.

Gabriel: Olha pra trás.
Isabela: Oi?
Gabriel: Bu.

Alguém me abraça e congelo. Sei quem é. Viro e dou de cara com o Gabriel. Lindo, louro, bronzeado. Eu já disse lindo? Céus, por quê? Ele veste uma camisa xadrez vermelha um pouco abertinha no peito e bermudas jeans. Os óculos escuros dão um ar descolado e eu posso jurar que vou despencar no chão de tão nervosa que fico.

— Ga-ga-briel! O que você, er, está fazendo... aqui? — balbucio como um bebê que acabou de aprender a falar.

Antes que eu possa comentar qualquer outra coisa, ele me puxa forte e me dá um beijo. Sinto sua respiração e o cheiro de álcool. A barba, que começa a crescer, espeta um pouco a minha pele. Gosto dessa sensação. Os braços fortes me envolvem e, por uns minutos, não consigo parar. Sinto seu corpo rente ao meu e isso me deixa maluca por mais beijos como aquele. Acho que estou mesmo carente.

— Procurei por você em toda parte! — diz no meu ouvido quando acabamos de beijar.

— Ah... é? Eu, eu, acho que estou passando mal... Tô com vontade de ir pro hotel, sabe?...

Amanda aparece por trás do Gabriel me fazendo sinais pra gente fugir dali logo. Nesse momento me sinto com quinze anos, quando traí um namorado pela primeira vez. Ah, vai. Eu erro às vezes. Corrigindo: eu erro na maior parte das vezes. Sabe quando estamos fazendo algo errado, *sabemos* e temos plena consciência disso? Então. Aos quinze anos eu não fazia a mínima ideia do que era traição, sinceramente. Na época eu não sabia nem o que era delineador, vocês já podem ter ideia de como as coisas eram. De um dia para o outro, cismei que estava gostando um pouquinho mais de um menino que estudava comigo, o Fábio. E, cá para nós, meu namorado morava em outra cidade. E o que fiz? Sim, a gênia aqui aceitou o convite do Fábio para ir ao cinema. Por que não? Ninguém ia descobrir, vê se pode... Uma sessão tarde da noite. Em uma terça-feira. Nada poderia dar errado, nadinha. Eu tinha certeza de que Deus me apoiaria nessa daí.

Fui confiante. Tremi um pouco quando meu pai estacionou o carro na porta do shopping, se despediu e disse que eu aproveitasse o filme com as minhas amigas. Ah! Se ele soubesse... talvez tivesse me impedido de fazer isso. Mas não, eu fui. Com a cara de pau que Deus me deu.

Ao chegar lá, Fábio me esperava com os ingressos na mão. Notei que ele também tremia um pouco (devo ressaltar que o nervosismo dele nada tinha a ver com o fato de eu já ter um namorado, porque eu omitia isso de todas as pessoas). Então concluí que ele realmente gostava de mim. Tentei me sentir mais confortável, puxei assunto sobre futebol e falei alguma besteira sobre o Adam Sandler, ator que estava no filme que íamos ver. Entrei na sala de cinema e agradeci aos céus por não ter encontrado nenhum conhecido no caminho.

Quando estava quase na metade da sessão, finalmente Fábio tomou a iniciativa e me deu um beijo. Senti meu estômago infestado por uma sensação nova. Perigo. A coisa errada. Então, era isso que as pessoas sentiam ao trair a outra? Saímos do cinema de mãos dadas. Lutei de todas as formas para que isso não acontecesse. Poxa, Fabinho, me ajuda aí! Mas ele insistiu nas mãos e eu tive que aceitar. Me levou até a porta do shopping e nos sentamos em um banco para esperar meu pai. Eu só precisava aguentar mais quinze minutos. Quinze minutinhos. Ele vem para cima de mim querendo outro beijo. Eu dou. Quando abro os olhos e assimilo as pessoas à minha volta, noto uma menina me olhando de um jeito meio estranho. Droga... Essa não era a... a... prima do meu namorado?! E de primeiro grau... E que me odiava com todas as forças. Não... Não podia ser.

E era. Na mesma noite, meu namorado me ligou querendo saber o que tinha acontecido, sabe?, ele queria a minha versão. Eu chorei. Porque quando fico nervosa demais, eu choro. E como eu não tinha justificativa nenhuma, isso também era motivo de choro. Ele disse que acreditava em mim e que a prima dele devia estar armando contra o nosso namoro. Peraí... O quê? Eu nem tinha insinuado nada disso, estava prestes a confessar o crime... Mas já que ele havia me oferecido uma alternativa, por que não? Agarrei a mentira como se fosse a verdade. Tentei acreditar naquela pequena história inventada e com o tempo tudo passou a parecer real.

Eu não suportava olhar para a cara do Fábio, nunca mais nos falamos. Ele me lembrava quão idiota eu havia sido com alguém que me amava e me fazia lembrar que existe uma parte ruim dentro de mim. Por meses essa mentira me consumiu, queimou, ardeu. Sempre que esbarrava com a prima do meu namorado, eu tinha vontade de sair correndo. Sentia pânico, como se a qualquer momento ela fosse tirar um punhado de fotos comprovando o que dissera tempos atrás.

Mas parece que ela se esqueceu desse episódio. Como se isso não importasse tanto para ela. E eu entendi. A mentira dói mais para o mentiroso. Ela o corrompe, o transforma, o faz viver nas sombras. Aqueles que foram vítimas da mentira seguem a vida com o coração leve. Afinal, o que eles têm a temer?

No momento, eu estou me sentindo exatamente assim. Como se fizesse parte de uma grande mentira e como se o ato de dar um beijo no Gabriel fosse uma grande traição. Estou sendo esmagada aos pouquinhos pela minha consciência e, na boa, não tenho mais meus quinze anos nem toda aquela rebeldia de querer a coisa errada. Quero fazer a coisa certa, por isso digo ao Gabriel que vou embora. Ele não entende nada, claro. Faz beicinho e pede que eu fique mais um pouquinho com ele. Insisto, dizendo que não dá, estou passando mal de tanto beber (mentira, é claro! Mas entre sair como a bêbada desengonçada e a mulher que fica no meio de dois irmãos que se odeiam, prefiro ser a bêbada). Aí ele me pede um último beijo.

— Só mais um, vai? Pelo tempo que fiquei te procurando em cada cabelo louro desta festa — diz, em meio a um sorriso de cortar o coração de qualquer garota.

Não resisto e caio nos braços dele mais uma vez. Nosso beijo agora é urgente, como se tivéssemos apenas alguns segundos para dizer tudo um ao outro. Parece uma despedida e eu espero — mesmo contra minha real vontade — que seja mesmo. Nas caixas de som toca "She will be loved", versão remixada.

O beijo termina e me preparo para me despedir do Gabriel (de verdade agora, sem beijos e tal), procurando ao redor por

Amanda. Quando meus olhos encontram os dela, ela me envia uma expressão mortificada. Sinto que quer dizer alguma coisa e busco o motivo de sua preocupação com o coração palpitando. *Não, não, por favor, não!*

É quando vejo aquele rapaz. Os olhos azuis vidrados na cena que se apresenta à sua frente, a sobrancelha arqueada, a cicatriz na bochecha esquerda retorcida. Nataly está com ele balançando a cabeça para mim em sinal de reprovação. Ele joga a bebida no chão e sai pisando forte por entre a multidão, empurrando todos os que cortam o seu caminho. E eu fico ali, sem reação alguma, com os olhos cheios de lágrimas, no meio de milhares de pessoas que me fazem sentir a solidão cair sobre os meus ombros. As lágrimas começam a rolar desconsoladamente sobre o meu rosto, fecho os olhos e respiro fundo. Por que isso está acontecendo comigo?

Amanda vem ao meu encontro e me puxa para longe. Quando começamos a nos afastar, escuto Gabriel gritar:

— Ei, você conhece aquele babaca de onde?

Eu me viro para ele, mas não digo nada. Apenas corro o mais rápido que consigo para longe dali.

Uma vez me disseram esta frase e eu nunca mais esqueci: "De todos os fenômenos da natureza, ela é furacão. Deixa destroços e fumaça por onde passa. Já tentou ser brisa leve de verão mas, como dizem, calmarias não duram para sempre".

Por que eu não podia ser brisa leve de verão? Por quê? E olha que no Brasil nem existem furacões...

CAPÍTULO 6
Eu precisava te esquecer, só não quero

http://garotaempretoebranco.com.br

Está tudo embaralhado. Tudo. Primeiro, vamos às boas notícias: eu consegui aquele emprego que disse antes para vocês e que eu tanto queria. Vou trabalhar em uma editora! E não, não vou chegar abalando como uma escritora best-seller. Vou ser a menina do café, mas quem se importa? Estarei um pouco próxima do universo que tanto me encanta. Temos que lutar por aquilo em que acreditamos, mesmo que pareça distante. Sei que vou lutar pelo meu sonho, podem me cobrar isso, hein?

Agora, as notícias ruins: o G. se mudou para Juiz de Fora. Sim. Coisas como essa só acontecem na minha vida, sinceramente. O P. continua sem conversar comigo. Hoje quase consegui manter um contato visual por mais de um minuto com ele. Isso aconteceu quando o G. apareceu de repente na nossa faculdade com um papo fofo de que queria se reconciliar com o irmão. Eu queria dizer pro G. que não adianta, o P. é um osso duro de roer. Mas fiquei quieta. Ainda bem que tenho vocês.

Sei que posso parecer ingrata ou chata (acho que estou mais pra chata), mas não consigo ser plenamente feliz com o G. enquanto o P. não olhar na minha cara. Parece que tá tudo incompleto, tudo errado, um quebra-cabeça montado ao contrário. Quero comemorar minhas conquistas com o meu amigo, quero contar como foi meu dia e quero dizer que ele é um idiota. Porque ele é.

Hoje ele disse algo como "Parabéns. Encontrou seu príncipe encantado". O que ele quer dizer com isso? Ele quer dizer alguma coisa com isso? Estou ficando louca.

O que a gente faz quando não há nada mais a fazer?

Postado por Garota em Preto e Branco no dia 7 de fevereiro às 4:23

6 DE 153 COMENTÁRIOS. COMPARTILHE

Carla comentou:
Você tem que dar um tempo pro seu amigo. Ele está ferido... Você também, mas tente se colocar no lugar dele. Isso tudo o machucou demais. Dê tempo ao tempo. Um beijo, amo seu blog!

Marilia comentou:
Se joga, menina!! Vai viver e aproveita o gostoso do G.! Torço por vocês!

Brun@ comentou:
Eu acho que, no fundo, esse P. tem um amor escondido por você. Só acho.

Anônimo comentou:
Sabe o que você faz? Ri hahahahahahahaha nada melhor do que rir nos momentos de desgraça.

Vick comentou:
Ai, estou agoniada por você. Amo seu blog, as coisas que você posta. Estou mandando boas energias daqui do Sul do país.

Anônimo comentou:
Briguei com meu melhor amigo também. Estamos juntas! Me identifico muito com você!

Você já quis morrer? Então, me abraça. Porque neste momento é o que quero. Quero me enfiar num buraco bem fundo e ficar por lá até o fim do ano. E olha que só estamos em janeiro, hein? Sei lá... Quero minha mãe. Meu pai. Quero até meu irmão.

Já notou que quando o coração aperta, dá um nó, se revira, só conseguimos pensar na família? Podemos até ter bons amigos ao nosso lado e eu tenho... Tinha? Família significa apoio incondicional, é clichê, piegas, mas é uma das maiores verdades já ditas. Significa cafuné no cabelo, com direito a enxugar as lágrimas enquanto assistimos à novela no sofá da sala. Significa um "vai ficar tudo bem", mesmo que você não tenha certeza disso. Nossos pais sempre nos lembram que somos especiais, não importa quantas burradas façamos na vida. E irmãos servem para nos arrancar um sorriso, mesmo que na maioria dos dias do ano vocês não troquem uma palavra sequer.

Acho que hoje fiz a maior burrada da minha vida. Aliás, quando é que não faço burrada? Parece que vim ao mundo para cometer erros. Eu sabia que ia acontecer isso, uma voz na minha cabeça dizia: "Vá com calma, cuidado com o que deseja". Pois bem. Ao invés de desacelerar, pisei fundo e bati de cara em um poste. Agora estou aqui com minhas feridas abertas e muito longe de ser uma fada que cura feridas instantaneamente.

Nunca aprendi a pedir desculpas. Quando erro, me afasto. É instantâneo, faço sem pensar duas vezes. É como se quisesse dizer à outra pessoa: "Não sou digna de fazer parte da sua vida, então estou partindo". Sei que tudo pode se resolver com um pedido de desculpas, mas e quando abrimos o coração, nos arrependemos 100% e ainda assim escutamos uma negativa da outra parte? Como continuar com um sorriso no rosto sabendo que seus sentimentos mais puros foram recusados?

Também nunca aprendi a conviver com a negação. Prefiro não saber, não escutar, não conversar, não dar um ponto final. O ponto final em uma história machuca, tatua nossa alma. E eu gosto de sempre sonhar com uma continuação.

Que inferno! As aulas voltaram e com elas as novidades. Bem, faço faculdade de direito na UFJF (Universidade Federal de Juiz de Fora) e, como vocês devem imaginar, sempre acabo topando com pessoas de outros cursos por lá. Um ex-ficante ali, um ex-namorado aqui, uma ex-amiga acolá. Nada que me afete muito.

Acontece que, como todos sabem e fazem questão de jogar na minha cara, o meu melhor amigo não está conversando comigo e, bem... nós somos da mesma sala. Tudo bem, tudo bem. Estou sobrevivendo. Ah, tem ainda o ex-namorado que também é da minha sala, mas nós já estamos no nível de soltar piadinhas um para o outro ocasionalmente, do tipo "Ei, quer fazer o trabalho em dupla comigo? Aposto que você morre de saudades da época em que fazíamos tudo juntos". É, esse é o meu ex. E, por incrível que pareça, acho graça. O problema maior não está aí. Ah, não. Que graça teriam um melhor amigo que não olha na sua cara e um ex-namorado que já virou coleguinha? E aí, meus amigos, eu acrescento a pimenta nos seus olhos.

Minha prima Nataly, que recentemente se mudou para Juiz de Fora, está cursando odontologia também na UFJF. Ah, que problema tem, não é mesmo? Nenhum, se ela não estivesse enfiando a língua ocasionalmente na garganta do Pedro. É isso mesmo que vocês leram. Eles estão *namorando*. Na-mo-ran-do. É claro, óbvio, evidente que ela faz questão de jogar na minha cara isso toda vez que nos encontramos no RU (refeitório universitário). Confesso que isso me fez parar de comer no horário do almoço (vejamos pelo lado bom, estou de regime!), me esconder com a Amanda em uma mata perto do prédio do curso de direito e passar o nosso tempo livre falando mal dos dois.

— Eu não entendo — diz a Amanda folheando um livro de direito civil. — O Pedro nunca leva ninguém a sério. Por que a sua prima?

Para me machucar, penso. Só pode ser isso. Ou, na pior das hipóteses, ele está mesmo gostando dela.

— Ai, Mandy. Cansei de falar disso. Estamos apegadas a uma memória do Pedro que conhecemos. Ele não é mais o mesmo, pelo menos pra mim. Sabe? Eu posso ter errado com ele, mas essa vingança dele é muito pior. Muito. Isso está me machucando de verdade.

— Eu sei, Isa. Você acha que não percebo os olhares apreensivos que você lança para ele a todo momento? E o jeito que ele sempre dá de perguntar sobre você?... Isso tá na hora de acabar. Já falei pra ele que não conto mais um "a" sobre você até ele vir pedir desculpas.

Ela diz isso e continua assim, distraída, mexendo no livro, como quem não quer nada.

— Peraí... O quê? Ele fica perguntando sobre mim? Você tá de BRINCADEIRA! Que garoto cara de pau — bufo. — Por que você não me contou isso antes? Que vontade de dar um tapa na cara dele. Nossa! Nossa! Amanda, que raiva! Odeio esse tipo de criancice!

— Viu? Por isso não contei. Ele quer saber como você está, se já arrumou o emprego que queria, coisas do tipo... — Aí ela solta o livro e me encara: — Afinal, o que deu do emprego que você queria?

— Recebi o e-mail hoje de manhã de uma das editoras com detalhes do trabalho. — Dou uma pausa e sorrio. — É meu!!!

No início do ano, antes de viajar para a Costa do Sauípe, saí distribuindo meu currículo por algumas editoras da cidade. Sim, editoras de livros, afinal, meu sonho é ser escritora, e para que os sonhos se realizem nós temos de correr atrás deles de alguma forma, certo? Então, mesmo que eu fosse a garota que lambe selos ou a que contabiliza os clipes do escritório, me submeteria a isso. Só quero ficar um pouquinho mais próxima do universo que tanto me fascina.

Foram quatro editoras. Primeiro, tentei as melhores (e, devo ressaltar, as melhores da minha cidade também não são lá essas coisas). Fui recusada, é lógico. Curso direito e não tenho experiência alguma com editoras para me gabar em uma entrevista de emprego. Também joga contra o fato de que esse seria o meu primeiro emprego e parece que ninguém me leva a sério. Mas não desisti.

Uma editora pequena do Centro foi minha última opção. O lugar fedia a mofo e quando fiz a entrevista com o dono pude jurar que ele ia tirar a camisa a qualquer momento. Céus, como ele transpirava. Ah, e ele fumava também. Sem perguntar se eu curtia todo o lance com o cigarro, soltava fumaça na minha cara e sorria com os dentes amarelos. De cara me decepcionei, esperava que editoras fossem mais glamourosas, livros arrumadinhos em estantes por toda parte e pessoas felizes, saltitantes, decidindo a capa do próximo best-seller em apresentações de PowerPoint. Mas na editora Universo as coisas não funcionam bem assim.

— Gostei de você, garota — disse ele, dando mais um trago. — Você tem o sonho de ser o quê mesmo? Tradutora?

— Não, senhor. Quero ser escritora. Escrever livros... Sabe? Por isso o emprego seria ótimo para mim.

— Ah, sim, sim. Escritora. Há! — ele soltou uma gargalhada.

Congelo. O que isso queria dizer? Que eu nunca seria uma escritora? Isso era tudo o que eu não precisava ouvir no momento.

— Bem, bem, podemos te ajudar com isso, claro, se você se mostrar capaz — ele concluiu.

— Sério? — Meus olhos brilharam de tanto entusiasmo. — O senhor faria isso por mim? — perguntei.

— Claro. Você pode começar aqui na editora como quebra-galho. E depois vemos do que é capaz — declarou e puxou mais um do maço.

— Por mim, ótimo! E o que uma quebra-galho tem que fazer?

— Basicamente, tudo. Se te pedirem para fazer café, você faz. Se te pedirem para levar algo aos Correios, você leva. Se te pedirem para ficar quieta, você fica — ele detalhou, com toda a seriedade.

Pensei nas minhas possibilidades, que já estavam quase todas esgotadas. Eu não tinha muito a escolher, de verdade. Mesmo que trabalhar nessa editora me custasse alguns fios de cabelos brancos e os pulmões ficassem afetados por toda a fumaça, eu precisava tentar. Eu disse que topava e ele ficou de me confirmar por e-mail o salário e o dia em que eu poderia começar. Foi esse e-mail que recebi hoje de manhã. O salário não é grande coisa. Na verdade, um salário mínimo sem carteira assinada. Mas quem liga? Estou feliz por ser uma escrava. Desde que esteja em meio a livros.

— Isa! Parabéns! — Amanda corre para me abraçar. — Vai lá e arrasa com suas ideias.

— Você sabe que eu apenas serei a menina que faz o café e quebra uns galhos, né? — pergunto, me divertindo.

— Sei. Mas te conhecendo do jeito que conheço, você vai dar um jeitinho de se destacar. Mesmo que seja fazendo um café.

— E olha que eu nem sei fazer café...

Rimos.

Enquanto nos arrastamos para a sala de aula, penso em todas as coisas que aconteceram nos últimos tempos. Eu ainda converso com o Gabriel pela internet e não me importo com as consequências. Toda noite, antes de dormir, ele me chama pelo Skype e ficamos uma hora comentando nosso dia, desabafando sobre coisinhas aleatórias. Ele me contou a história da sua vida e eu entendi o seu lado. Pelo menos tentei. O pai dele era um babaca e coisa e tal. Ele me disse que cresceu achando que a mãe o rejeitara por ter sido ele o escolhido para morar com o pai. Aí estava a explicação para a imensa gratidão que ele tinha pelo pai, que o "acolhera". Ele cresceu com ressentimento da mãe por achar que ela o abandonara — e com inveja do Pedro, que, assim pensava, fora o escolhido pela mãe. Ai, que família complicada, sinceramente. Vontade de juntar todos no *Casos de família* e mandar que eles se resolvessem logo. "*Vamos lá gente, abraço de família, isso, isso! Bonitinhos.*" Quem dera na vida real pudéssemos fazer isso.

Nesses últimos dias, ele deu uma sumida. Tem três dias que não o vejo on-line. Mas tudo bem, afinal, estamos no início das aulas e apenas os mais viciados — no caso, euzinha — continuam on-line.

Quando nos aproximamos da porta da sala de aula, avisto o Pedro com cara de preocupado e — devo ressaltar — sem a Nataly, conversando com um garoto de costas. Um frio percorre minha espinha. Droga! Será que vou ter de sentir isso toda vez que o encontro? Quando essa sensação de vazio vai passar? Ela vai passar?!?! Calculo quantos passos tenho de dar para chegar até eles e me desviar para passar despercebida.

Droga!

Não tem como passar despercebida. Eles estão obstruindo a entrada da sala. Analiso a possibilidade de ir ao banheiro do terceiro andar, aquele banheiro de funcionários que sempre fica vazio e aonde vou às vezes para refletir sobre a vida. Sinto a mão da Amanda apertar as minhas e sei que ela não vai me deixar fugir. Continuamos firmes, até darmos de cara com eles. Quando de repente...

Surpresa! O garoto que estava de costas se vira e o Gabriel surge na minha frente.

— Gabriel?! — exclamo. — O que você tá fazendo aqui e com o... o... — não consigo completar, apenas lanço um olhar para ele, que me olha tristemente de volta.

— Pedro — ele completa por mim. — Eu e meu pai resolvemos nos mudar de volta para Juiz de Fora. Ele já vinha tentando isso. Ele conseguiu um emprego melhor com o antigo chefe dele, me perguntou o que eu achava disso e, claro, topei. É um pouco chato esse lance de transferir a faculdade, mas encontrei uma particular muito boa de jornalismo. E é sempre bom mudar de ares. — Ele olha de relance para o Pedro e se explica: — Vim aqui para encontrar meu irmão e dizer isso a ele pessoalmente. Não podemos fugir um do outro para sempre.

Pedro sorri com o canto da boca.

— Ah, podemos — diz.

— Não, não podemos — Gabriel retruca, sério. — Somos adultos, Pedro. Refleti muito antes de vir aqui te dizer todas as coisas que disse e cheguei à conclusão de que seria idiotice prolongar uma briga que não é nossa. Temos que colocar nossas diferenças de lado.

Olho de um para o outro, embasbacada. O que está acontecendo aqui? Gente, alguém me segura.

— E, claro — Gabriel continua em meio à indiferença de Pedro —, você, provavelmente, vai me ver muito com a Bela por aí.

Minha cara vai para o chão. Não, Gabriel. Não... Pra que isso? Pra quê? Eu já estava quase conseguindo fazer contato visual com o Pedro, éramos praticamente amiguinhos de sala de novo e você me vem com essa? Não poderia ter guardado o romantismo pra mais tarde?

— Ah, é? — Pedro diz distraído, olhando para longe. — Por quê? Vocês estão namorando... Bela? — ele debocha e olha dentro dos meus olhos.

— Não, não — me apresso em dizer. — Nada de namorando. Nadinha.

Gabriel puxa minha mão para perto de si, e completa:

— De fato, não estamos. Mas gosto muito dela. — Pedro vira a cara e finge que não está prestando atenção no assunto. — Então é isso... Não esperava encontrar vocês dois ao mesmo tempo, mas bem, tenho que ir. Bela, depois te ligo. Amandinha, sem choro hoje, hein? E Pedro... se cuida, cara.

Pedro acena com a cabeça, eu continuo de boca aberta sem saber o que dizer e Amanda sorri com os olhos fechadinhos. Por um lapso parecemos três amigos de novo, os três inertes, sem conseguir expressar qualquer reação. Gabriel me dá um beijo na bochecha e vai embora. Olho para o Pedro à procura de qualquer sinal de simpatia, mas ele se limita a dizer:

— Parabéns. Encontrou seu príncipe encantado.

Ele entra na sala de aula sem me olhar e me deixa mais uma vez com o coração em frangalhos. Poxa, será que ele não cansa de me torturar? Eu, que já estava de joelhos, louca por um sinal de que poderíamos ser nós de novo?

. . .

Se existe algo que dói mais que saudade, por favor, eu não quero conhecer. Saudade dói, machuca, destroça. Aperta o peito e não nos deixa respirar. Não importa de quem seja... De uma amiga com quem não conversamos mais, de alguém que não podemos alcançar, de um amor que já se foi. Tudo passa. Os momentos passam, as pessoas passam, a saudade fica. Ela insiste em ficar, insiste em doer, insiste em lembrar.

Pior é não poder fazer nada, entende? Eu sei que estou aqui morrendo de saudade, mas ir atrás é tão difícil... Não me sinto forte o suficiente para isso. Muitas vezes as pessoas não dizem o que sentem por simples orgulho, simples capricho. Será que me tornei uma dessas pessoas? Pessoas que têm medo de admitir em voz alta o que sentem? A saudade poderia acabar, se houvesse uma ligação, uma mensagem, um olhar. Mas não, insistimos em sofrer calados e fingir para o mundo que está tudo bem. *Ah, tá tudo bem! Nem lembro mais.*

Quem a gente quer enganar, né? Sinto saudade até do que nunca existiu, do que nunca vai existir. Sinto saudade de momentos que criei em minha mente perturbada, mas que nunca aconteceram. Nunca vão acontecer. Sinto saudade de sonhar com possibilidades, de esperar por algo. A gente tenta distrair a mente, assistir a um filme, ler um livro ou pesquisar sobre gatos egípcios na internet. Mas vai dizer isso para a saudade, vai? Basta ouvir uma música que ela vem com tudo...

CAPÍTULO 7

O perfeito é monótono. E contos de fadas às vezes dão sono

http://garotaempretoebranco.com.br

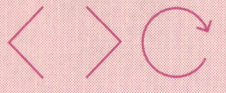

    O que eu quero que vocês saibam é que: a perfeição não é perfeita. Deixem de desejar o cara perfeito para vocês, porque provavelmente o cara perfeito vai se revelar um chato. Não que eu esteja me referindo à minha vida, porque, vejam bem, o G. não é um chato. Ao contrário do que muitos pensam, ele não é perfeito para mim. Pode até ser perfeito para alguém, e torço por isso, mas não para mim.

    Demorei a admitir isso em voz alta, mas acho que fatores externos contribuíram para que isso acontecesse. Alguém adivinha o que aconteceu? Alguém? Vou deixar que a imaginação de vocês flua. Conto no próximo post o que aconteceu!

    PS.: Alguém sabe alguma coisa sobre buracos negros? Preciso encontrar um buraco negro, mas viajar pela galáxia é um pouco difícil para uma garota. Qualquer informação é válida!

Postado por Garota em Preto e Branco no dia 12 de abril às 11:01

6 DE 167 COMENTÁRIOS.   COMPARTILHE

Ivana comentou:
O que aconteceu????? Menina, você quer me matar do coração? Tem alguma coisa a ver com o P.? Sempre fui #TeamP!

Brenda comentou:
Poxa, Garota em Preto e Branco, amo você e o G. juntos... Por favor, repense. A vida não é como um filme, o amor pode existir sem ser tão arrebatador quanto você imaginou.

Anônimo comentou:
O que eu sei sobre buracos negros é que eles sugam as pessoas para dentro deles. Certo? Espero ter ajudado. PS: e o que isso tem a ver com tudo?

Gui comentou:
Sou homem mas amo ler suas histórias por aqui... Desconfio que tenha acontecido uma conversa de peito aberto com alguém... Acertei? rs

Flor comentou:
GPB (garota em preto e branco, sigla que inventei!), menina, você é demais!!!!!!!! Queria ter a sua coragem!!! Ansiosa pelo próximo post!

Cami comentou:
Pode mandar o G. pra cá! Aceito! Hahahahahahaha

O sr. Mendonça está no meu pé. Aparentemente, carregar dez caixas de livros por quatro lanços de escada é um trabalho fácil para uma menina que — ressaltando — não consegue levantar nem o peso de cinco quilos na academia (o de quatro eu consigo!). Então, só porque demorei treze minutos (gente, foi um tempo recorde), ele está resmungando como um louco em sua sala, dizendo o quanto eu sou preguiçosa. Preguiçosa? Por favor.

Por esse emprego aprendi a fazer cafezinho, a mexer no Excel, a colar os fichários de contabilidade, folha por folha, que estavam rasgando (eram mais de cem), a escolher o desodorante preferido do sr. Mendonça. Ah, e teve a vez que ele me obrigou a ir à sua casa, lá no quinto dos infernos, só para buscar seu mouse de estimação que ele havia "esquecido". É brincadeira, viu? Pelo menos no trabalho eu distraía a minha mente.

Já se passaram dois meses desde aquele encontro fatídico com o Gabriel no campus da UFJF e nós meio que estamos "juntos". É. Juntos. Aquele meio-termo entre "nós-não-estamos-só-ficando-mas-não-quero-namorar"... Sabe, eu estou naquela fase de não querer rotular o relacionamento e, confesso, estou sendo uma Chata com "c" maiúsculo. Mas como posso dar certezas quando não tenho certeza nem sobre minhas dúvidas?

Passei tanto tempo desejando um relacionamento que se aproximasse do perfeito, que quando ele me foi jogado no colo eu não soube o que fazer. E agora? É só viver? Ser felizes para sempre? Vamos cavalgar em direção ao pôr do sol juntos? Blé!

O Pedro continua me tratando com indiferença, parece que chegar perto de mim causa nele uma espécie de choque. De vez em quando, eu o pego me olhando no meio das aulas e fico imaginando o que se passa na sua cabeça. Às vezes, trocamos umas palavras na fila do xerox ou quando ele vem pedir algum caderno para a Amanda. Nada mais que isso. Parece que sempre que chego perto de conseguir olhar nos olhos dele e de esperar por uma resposta qualquer ele "se toca" do que está fazendo e dá um jeito de me evitar novamente. Tem alguma coisa acontecendo ali, disso tenho certeza. Essa "raiva" toda não é normal. Não mesmo. O Pedro não é esse tipo de cara, qual é? Ele tem um coração enorme. Sei disso. Se fosse só mágoa, logo passaria, mas se não passa é porque ele está pensando algo mais. E, infelizmente, o poder de ler mentes não pertence a mim.

— De novo pensando nele? — Magda me pergunta de repente.

Magda é uma mulher de trinta anos, um pouco robusta, viciada em lenços de cabeça e que trabalha na editora Universo. O trabalho dela é um pouco melhor que o meu. Bem melhor, aliás. Ela é editora de livros! É a responsável por auxiliar os autores no processo de criação do livro. Minha amizade com ela aconteceu por sintonia. Logo na primeira semana me pegou fazendo cara feia por trás do sr. Mendonça e desde então nos tornamos inseparáveis, já que ela também não suporta nosso querido chefe. Sempre passamos o intervalo do trabalho na escada de incêndio dividindo uma marmita e conversando sobre a vida.

— Não estou pensando no Pedro — falo rapidamente. — Oi? Quis dizer, no Gabriel.

— Vocês estão juntos, não é? Vi que ele veio te buscar ontem à noite.

— Ah, o Gabriel. Sim, estamos juntos — digo, um pouco mais desanimada do que queria.

— Por que esse desânimo? Aquele homem é tudo! Um exemplar raro nos dias de hoje. E o melhor, está apaixonado por você. Consigo saber só de olhar para ele. Sou mais velha, portanto pode acreditar em mim.

— Ele é ótimo — resumo, como um lembrete para mim mesma.

— Mas...?

— Mas nada.

— Sempre tem um "mas" em se tratando de você, Isabela...

É verdade, penso. Há algum tempo me pergunto o que falta na minha vida. Eu tenho uma melhor amiga sempre ao meu lado; o Gabriel, que é supercarinhoso e atencioso comigo; um emprego péssimo, que, no entanto, dá uma grana boa para uma mera estudante; um blog que a cada dia cresce mais (o que está me assustando um pouco, pois estou tendo mais de 5 mil acessos diários!); e uma colega de trabalho que divide marmita comigo. De que mais preciso? Talvez não ter mais de dividir a marmita, já que a Magda come por duas e eu sempre fico com fome. Ou que o Gabriel pare com o jeito dele de sempre saber o melhor para mim, me deixando um pouco sem graça, já que não sou a miss perfeição nos relacionamentos. Ou que a Amanda pare de ser sempre tão sábia e de jogar verdades na minha cara. Eu quero pouco, ora, bem pouco.

Porém, na verdade, o que eu preciso mesmo é seguir em frente sem *ele*. As coisas mudam, simples assim. Por que será que não posso aceitar isso? Tento me lembrar do meu ex, o Gustavo, e de toda aquela confusão de um ano atrás. Eu não o deixei no passado? Na época, escolhi me amar em primeiro lugar e não deixar que as pessoas ditassem como as coisas deveriam ser. E por que agora isso não está funcionando? Juro, não entendo. Aí lembrei que em todos esses momentos, de uns anos para trás, em que a vida apertava um pouquinho, *ele* estava ali ao meu lado. E senti meu coração apertar mais um pouquinho.

Então, o apego é isso. É se prender firmemente a alguém e com todas as suas forças não deixar que ele se vá... Mesmo que ele já tenha ido. O apego é um apelo para que a pessoa fique mais um pouco. É como se disséssemos: "Ei, eu sei que você quer ir embora. Mas se você quiser ficar, pode ficar..." A que ponto cheguei? Honestamente. A mulher decidida que eu tentava ser todos os dias está se sentindo uma garota de quinze anos, insegura.

Aliás, será que algum dia eu deixei de ser uma garota insegura de quinze anos? Tenho minhas dúvidas. Afinal, somos todas garotas de quinze anos. Algumas despistam melhor que as outras, mas a verdade é que sua mãe, sua avó, sua tia e, principalmente, você, todas já fomos e ainda somos menininhas. E provavelmente nunca deixaremos de ser.

Nós nos empolgamos com coisas pequenas, deixamos que os olhos se encham de lágrimas ao assistir a um desenho animado e nos emocionamos lembrando a infância. Damos pulinhos de felicidade quando conseguimos o que queremos, abraçamos forte como se fosse a última vez e sempre achamos que não temos roupa suficiente — mesmo quando fazemos compras toda semana. Gostamos de passeio de mãos dadas e de beijos demorados e ficamos tristes quando não percebem que cortamos os cabelos.

Temos ciúme dos amigos, lutamos com unhas e dentes para não perder a exclusividade e nunca acreditamos que somos realmente bonitas como dizem. Brigamos com o espelho, queremos mudar o cabelo todo dia e adoramos descascar o esmalte das unhas. Fazemos beicinho quando as coisas não saem como queremos, temos esperança de que as pessoas mudem para melhor e fazemos dietas malucas querendo emagrecer três quilos de um dia para o outro. Batemos o pé quando não respeitam nossas decisões, vamos até o fim com nossos sonhos e, no íntimo, esperamos um príncipe descolado para tirar nossa vida da monotonia. Mulheres, eternas meninas.

Concordo com Magda com um aceno de cabeça e ela percebe que não quero falar sobre o Gabriel.

— Sabe, o Bruno disse que me ligaria no dia seguinte e já se passaram duas semanas — desabafa ela, mudando de assunto.

— Ah, Magda, as intenções dele ficaram bem claras... — avalio, enquanto olho para o celular à procura de novas mensagens; nada.

— Poxa, será que beijo tão mal assim? — questiona, indignada, comendo freneticamente um pedaço de frango. — Nós nem fomos para os finalmentes, achei que ele ia querer me encontrar de novo para... você sabe... Então... Mas nada. Vou acabar ficando para titia. Aliás, eu já estou abraçada com a titia, né? Trinta anos e encalhada.

— Sai dessa! As coisas não funcionam assim. O que pode ter acontecido é que os sinos não tocaram para ele.

— Como assim? — pergunta, interessada, me olhando com seus olhos verdes arregalados.

— Ué, às vezes a pessoa pode ser gente boa, linda, interessante, inteligente, romântica, charmosa e mesmo assim não parecer certa para você. Você gostou dele, mas ele pode não ter gostado tanto assim de você. Ou você tem bafo mesmo — encerro, sorrindo para ela com o canto da boca.

Ela solta uma gargalhada e concorda. Começamos a reclamar do sr. Mendonça de novo, quando escutamos a voz da Bete, vinda do alto das escadas. Bete é a secretária dele. Ela está nos avisando que o intervalo acabou.

Pego o telefone fixo e ligo para a filha do sr. Mendonça para lembrar que ela deve ir à aula de balé às dezessete horas (sim, eu era mesmo uma quebra-galho). É quando ouço meu celular vibrar em cima da mesa. Deixo-o lá esperando por uma resposta, porque meu chefe me espia por cima dos óculos. Feito o telefonema e tendo escutado uma voz aguda me agradecendo do outro lado da linha, resolvo ver quem está querendo me salvar do tédio.

Pisco duas vezes. Não pode ser. Não!

Pedro: Tá aí?

Meu coração dispara, minhas pernas tremem e o mundo à minha volta some por uns instantes. Não existem papelada, livros, nem sr. Mendonça. Meus dedos também tremem tanto que não consigo digitar. Começo a balançar uma das pernas, coisa que sempre faço quando fico nervosa ou ansiosa demais. A minha vontade é responder: "Por que você demorou tanto tempo? O que você fez hoje à tarde? Com quem conversou ontem de manhã? Vocês falaram sobre o tempo? Está frio, não acha? E aquele seriado que você via? Tem assistido ultimamente? Esses dias, passando por canais na televisão, me lembrei de você. Passava aquele filme que vimos no cinema e gargalhamos o tempo todo por ser meio idiota, *É o fim*, e assisti de novo. Não me pareceu tão engraçado, mas deve ser porque agora assisti sozinha, enquanto olhava para o celular esperando que você adivinhasse o que eu estava fazendo e me mandasse uma mensagem. Eu consegui o emprego, mas você já deve saber, afinal, eu sei que a Amanda te conta as coisas que faço, mesmo que para mim ela negue veementemente que faz isso. O sr. Mendonça é um cara engraçado, ele gosta de usar camisas de botão abertas que deixam o peito peludo à mostra. Ah, e ele transpira muito também. E nunca está satisfeito com as coisas que faço, mas tenho gostado de trabalhar aqui na editora. Ganho todos os livros que quiser! Acredita? Eu me sinto meio idiota ao dizer isso, mas você faz falta pra caramba. Nunca pensei que suas implicâncias e o seu jeito de dizer a verdade na minha cara fossem fazer tanta falta assim... Você voltou para ficar? Porque se for para partir de novo, sei que não aguento o peso de outra despedida..."

Mas eu respondi:

Isabela: Tô. Por quê?

Sei que pareci mais grosseira do que gostaria, mas que importa? Eu também tenho sentimentos. Aos montes. E eles estão putos da vida.

Pedro: Cansei.
Isabela: Do quê?
Pedro: Cansei de fazer o certo.

Do que ele estava falando? Fazer o certo? Ahn?

Isabela: Então faça o errado :)

Ok. Eu não fazia a mínima ideia do que ele estava falando. Mas eu queria parecer que sabia. Enfim.

Pedro: Vai fazer o que hoje?
Isabela: Hoje? Nada. Combinei de viajar para Ibitipoca pela manhã com o Gabriel. Preciso dormir cedo.

Pedro: Beleza. Eu e a Nataly vamos também. Algum problema?
Isabela: Nenhum...
Pedro: Fechado, branquela.

Fico olhando, abismada, para o celular durante alguns segundos. Como se ele fosse um corpo estranho que eu nunca tivesse visto na vida, sem acreditar no que está acontecendo.

Pedro: Sentiu saudades?
Isabela: Se eu senti saudades? Você é um idiota. É isso que você é.
Pedro: Gosto de ver que desperto os sentimentos mais verdadeiros do mundo em você.
Pedro: Vai me deixar falando sozinho?
Isabela: Deveria.
Pedro: Mas não quer.
Isabela: Fazer o quê? Gosto de ser meio trouxa.
Pedro: Não é trouxa, não.
Isabela: Concordo. Sou é boazinha demais com você.
Pedro: Boa demais para mim... Até você?!
Isabela: Oi? Eu falei COM você.
Pedro: Ah, é. Li errado.
Pedro: Tenho que ir. Até amanhã. E, ah, vamos pegar uma carona com vocês, tá? Você sabe da minha fobia de dirigir em estrada.
Isabela: Aff.

Pedro está off-line.

Chego em casa e vou logo dando a notícia ao Gabriel por telefone. Ele a recebe muito bem. Bem demais. Ele me diz que desde que se mudara pra Juiz de Fora estava tentando ter esse contato com o irmão e que seria a oportunidade perfeita. Meta de vida: ter essa maturidade! Porque, olha, sinceramente...

Quanto às intenções do Pedro para essa viagem, eu estou desconfiada, porque: 1) nós não conversávamos havia quase três meses; 2) do nada viramos melhores amigos de novo; 3) ele está sendo simpático com o Gabriel; 4) ah, sei lá.

Já eu... Não sei dizer o que estou sentindo. Um misto de fraqueza e dúvidas. Não sei se fiz o certo em não dizer ao Pedro tudo o que tenho sentido nos últimos tempos, por outro lado, sei que teremos tempo suficiente para isso. Somos adultos e ficar virando a cara eternamente um para o outro não vai funcionar. Isso nunca funciona. Os problemas não desaparecem, a mágoa não se esvai e parece que enquanto você não decide aquilo que atormenta uma sombra te acompanha por onde você vai.

Perdoar.

Eu perdoo. Perdoo porque também já precisei de perdão um dia. Porque vou precisar de perdão ao longo da vida. Nós, seres humanos, estamos suscetíveis ao erro. Eu erro, você erra, e seria muita hipocrisia da minha parte descartar alguém no primeiro erro cometido. Como assim? Se pisar fora da linha não serve? Mas nós pisamos fora da linha o tempo todo! Por exemplo, quando não atravessamos na faixa de pedestres ou não respeitamos a sinalização que nos avisa para desacelerar. Eu acelero. Dou uma volta ao mundo em apenas alguns segundos.

Não tem essa de acertar de primeira. Quem faz isso? Robô? Se sou apresentada a alguém perfeito demais, já logo sinto vontade de bagunçar o seu cabelo. Ou a sua vida. Sei das minhas imperfeições e sei que, para a vida ter um pouco de graça, precisamos de pessoas imperfeitas ao redor. São elas que nos fazem ver beleza nas coisas mais improváveis.

Perdoe, pois você pode até se decepcionar de novo, mas nunca sem saber como teria sido.

É sábado de manhã e o sol já está surgindo no horizonte. Tímido. Coloco meus óculos escuros, porque sei que já, já minha fotofobia vai atacar e fazer de mim uma pessoa quase cega (tenho sensibilidade à luz. Por quê? Eu não sei). Abro um pouco o vidro do carro e olho para as figuras sentadas à minha frente.

Pedro está no banco do carona e Gabriel no do motorista. Parecemos uma família feliz, exceto pelo fato de que não somos. Esperamos na porta do prédio da Nataly e ela, como sempre, demora uma eternidade para descer com suas malas (que tipo de pessoa leva malas, no plural, para passar um fim de semana no meio do nada? Enfim...). Pedro cantarola uma música do Pearl Jam baixinho e Gabriel retoma o assunto:

— Isa, temos que marcar nossa viagem agora no meio do ano. Você precisa conhecer a Disney. Ainda não acredito que você nunca foi lá! É incrível — diz, enquanto passa a mão nos cabelos dourados e me olha pelo buraco que fica entre o banco e a lateral do carro.

— Ah, sim. Temos. Mas, você sabe, eu não ganho tão bem na editora, então não sei se vai rolar... — respondo sorrindo, sem graça, de volta para ele.

É verdade. Bem, quase toda a verdade. Pedro de repente se interessa pela conversa e me olha intrigado. Dirige-se a Gabriel, solta uma gargalhada e diz:

— O que ela está querendo dizer é que não quer ir à Disney porque tem medo de altura e de pessoas fantasiadas. Na verdade, ela tem medo do Mickey, cara. Desculpa.

Dito isso, coloca os dois pés em cima do painel do carro, as mãos atrás da cabeça e continua cantarolando a música "Last kiss".

— É verdade, Bela? — Gabriel me pergunta como quem pede desculpas.

E, sim, ele gosta de me chamar de Bela. Melhor que "momozinho", vá lá.

— Eu não tenho medo do Mickey — me defendo.

Mas, na real, eu tenho. Ai, gente. Essas pessoas fantasiadas me dão uma agonia, de verdade. Eu sei lá quem está debaixo daquela roupa? E se for um assassino? Um estuprador? Se eu encontro um Mickey num beco escuro eu saio correndo. Vou lá pedir para tirar foto? Nunca. Nunquinha.

— Ah, você tem sim.

Pedro se diverte com a situação, noto. Ele me olha com cumplicidade e meu coração se enche de alegria por um instante. Como sinto saudade desses nossos momentos.

— Tá, não vamos para a Disney. Não quero ser o responsável pelas férias mais traumáticas da sua vida — Gabriel leva a história na brincadeira e se vira para mim mais uma vez com aquele ar de acabei-de-acordar-lindo-e-meu-cabelo-despenteado-é-meu-charme. — Podemos viajar para onde você quiser. Talvez para o Sul, curtir um friozinho, um vinho...

— Ela não bebe vinho — Pedro interrompe mais uma vez.

Vejo que o Gabriel está começando a perder a paciência e tento contornar a situação:

— Ótimo! — bato com as duas mãos na perna em sinal de empolgação. — Sempre fui louca para conhecer o Sul do país. E nunca é tarde para aprender a gostar de vinho, né?

Gabriel me olha esperançoso com um sorriso no rosto.

— Parece ótimo.

— Parece um saco — Pedro diz, entredentes.

— O que você disse? — Gabriel se vira para ele e eu posso jurar que a partir dali não teria viagem, não teria amizade entre irmãos, entre primas, nem amor em Ibitipoca. Mas fomos salvos pelo gongo! Um gongo chamado...

— NATALY! — Nunca fiquei tão feliz em ver minha prima. — Vem, vem, entra, estávamos te esperando. Senta aqui do meu lado...

Nataly entra no carro com suas quatro malas (juro por Deus) e, assim que se acomoda, tira um espelho da bolsa e começa a se maquiar. Céus, queria ter esse empenho. São seis horas da manhã e eu não tenho forças nem para colocar um brinco na orelha. Que dirá para passar maquiagem. Espio com o canto dos olhos enquanto ela, freneticamente, faz um passo a passo mais parecido com os daqueles vídeos do YouTube. Em dez minutos, ela está com delineador gatinho, batom vermelho, blush, rímel e iluminador. Parece ter saído de um clipe da Beyoncé.

Olho para mim, com meu short jeans rasgado, minha regata preta, e me sinto meio mal. Acho que nunca serei uma dessas meninas que parecem ter saído de um comercial de TV. E não tem problema, sabe? Porque aprendi a me amar do jeitinho que sou. Mas é que a gente nunca quer esse tipo de menina esfregando na nossa cara quão perfeitas elas podem ser. Argh. E nem que esse tipo de menina seja nossa prima. Nossa prima que está namorando nosso melhor amigo.

Estudiosos da língua tupi afirmam que Ibitipoca significa "gruta de pedra", pela existência de grutas na região que serviam de abrigo para os índios que ali moravam. Outros dizem que Ibitipoca significa "serra que estala" (ibiti = serra + poca = estala), em referência aos trovões que são comuns por ali. E eu conheço essa cidade porque, cara, não tem como morar em Juiz de Fora e nunca ter feito um passeio a Ibitipoca! Por ser muito pertinho, esse é o passeio preferido dos juiz-foranos.

Conceição de Ibitipoca, mais conhecida como "Ibiti" pela galera da Zona da Mata, é uma cidadezinha com não mais de 2 mil habitantes, de ruas de pedra e terra batida, situada a 93 quilômetros de Juiz de Fora. A três quilômetros de Ibiti temos o Parque Estadual de Ibitipoca, um parque ecológico que reúne cerca de dezoito quilômetros de trilhas com uma diversidade estonteante de grutas, cachoeiras e lagoas cortando um imenso planalto com vegetação de altitude, onde apenas o vento e os pássaros produzem os poucos ruídos. É o lugar ideal para buscar a paz dentro de si e entrar em contato com a natureza. O pôr do sol de Ibitipoca tem a maior variedade de tons de toda a região. Especialmente em dias frios. E em Ibitipoca quase sempre faz frio devido à altitude.

Todas as pessoas que vêm para cá se hospedam em pousadas ou alugam casas e chalés. A cidade é bem acolhedora, pois sabe que vive de turistas e viajantes de todas as partes. O Centro é cheio de lojinhas com diferentes bugigangas e todas elas parecem ter saído de um filme de época. É como se aqui o tempo não passasse.

Paramos em frente a uma lojinha bem antiga, tipo mercearia, e o Pedro insiste para que compremos logo nossos suprimentos do fim de semana, antes de nos acomodarmos. Nosso chalé fica bem afastado do Centro e ter que ficar subindo e descendo pra comprar as coisas não é legal. Não mesmo. Minha preguiça agradece. Então escolhemos os produtos para levar, coisas como Doritos e adivinha... Miojo? Deixo os meninos olhando as bebidas e me entretenho com uma revista antiga de astrologia. Leio no verso da página que a revista data de dez anos atrás. Penso em avisar aos meninos que chequem a validade dos produtos, mas só essa revista parece destoar do ambiente. Tudo é muito limpo e arrumadinho.

Enquanto leio as previsões do meu signo de dez anos atrás (dizem que dá azar, mas eu ligo?), percebo a presença de uma mulher com um tampão de olho igual ao de um pirata me observando por trás de um dos balcões. Ela não é uma atendente, certo? A atendente da loja está ajudando o Pedro a pegar tudo que ele quer (como se ele precisasse de ajuda, mas tudo bem). Essa mulher parece estar ali escondida, contrabandeada, quase como uma fugitiva. Olho para ela assustada, me viro e penso em sair dali diretinho para o carro. Algo no único olho que lhe resta me deixa toda arrepiada. Mas ela segura meu braço e balbucia:

— Você... — sua voz sai rouca, como se não falasse com frequência. — Você...

Tento me desvencilhar, ao mesmo tempo que reparo em suas roupas. Ela parece uma... Como se diz? Cigana! Ela parece uma cigana. O vestido rendado, com penduricalhos, os cabelos presos por um lenço e o tapa-olho, que era de pirata, mas ok, vai que as ciganas de Ibitipoca usam tapa-olho de pirata?

Fico tentada a escutar o que ela tem a dizer e hesito por uns segundos. Ela se sente confiante e continua, enquanto fixa o olhar na palma da minha mão, que, tudo bem, eu admito, deixei que ela pegasse. Eu quero saber o futuro, ué! Vai dizer que você também não fica curioso?

— Talvez esteja a criar uma ilusão na sua mente. Você precisa ir em direção ao seu buraco negro.

Fico me perguntando que diabos de previsão é essa. Não seria muito mais fácil dizer: "Você será muito rica, se tornará uma escritora famosa, vai se casar com um cara maravilhoso e vai ser feliz para sempre"? Só isso, cigana. Vem cá, deixe-me te ensinar. Não é assim que se faz.

Ilusão? Isso eu crio todo dia, tem um cativeiro de ilusões lá em casa. E esse lance de "ir em direção ao seu buraco negro"???

O que isso quer dizer? Buraco negro? Por que fui dar ouvidos a uma cigana? Onde é que eu estou com a cabeça?

Dou de ombros, lanço um último olhar a ela, que me responde com um sorriso misterioso. Eu me aproximo dos meninos e finjo não estar tão abalada com o que acaba de acontecer. Quando nos dirigimos ao caixa para pagar, olho o local em que ela estava e não a vejo mais. Será que foi tudo uma alucinação? Não. Definitivamente, não. Aquele olhar penetrante existia. Pior que existia...

Nosso chalé era uma gracinha. Pequeno, mas uma gracinha. Todo de madeira, situado no alto de um dos muitos morros da cidade e com uma pequena vegetação encobrindo tudo em volta. Como o proprietário havia nos dito, realmente era possível apreciar a natureza do quintal. Os cômodos eram poucos, dois quartos, uma cozinha bem humilde, uma sala e um banheiro com azulejos que me lembravam a casa da minha avó. O chalé tinha um quê de aconchegante. E como nem tudo são flores, logo notamos que alguém teria de dormir no sofá.

O Gabriel, quando alugou a casa, não fazia ideia que o Pedro e sua namoradinha iriam conosco, óbvio. Isso foi uma surpresa *maravilhosa* que o destino nos pregou. Um quarto tinha cama de casal e o outro apenas uma cama de solteiro. Então fiz o que qualquer pessoa adulta faria: disse que a cama de casal era minha e do Gabriel porque nós tínhamos tido primeiro a ideia da viagem. Pedro não se importou, para falar a verdade parece que até curtiu a ideia de passar a noite separado da Nataly, que dormiria na cama de solteiro, no segundo quarto. Ou seria a minha cabeça querendo que isso acontecesse?

Desfizemos nossas malas, ajeitamos todas as comidas e bebidas na cozinha e decidimos que hoje ficaríamos no chalé mesmo. Faríamos uma fogueira, comeríamos besteiras e deixaríamos os passeios ecológicos e de turistas para o dia seguinte. O frio estava uma delícia e a noite caía bruxuleante sobre nós.

Mais cedo, no mesmo dia, enquanto Gabriel tomava um banho, Pedro entrou repentinamente no nosso quarto e veio com um papo meio estranho.

— Quando é que vamos ter um momento a sós? Eu e você? — disse, descontraído, como se estivesse falando do tempo ou das notícias matinais que lera mais cedo no jornal.

— Como assim um momento a sós? Alô? Você está aqui com sua namorada, eu estou aqui com o meu... — hesitei um momento, e ele me olhou esperando que eu continuasse — com o Gabriel. Não tem isso de momento a sós. E, convenhamos, desde quando precisamos ter um momento a sós? Você tá estranho, Pê. Na boa.

Eu, hein! Tudo bem que tínhamos muito o que "brigar" ainda. Mas, aqui? Eu não estava a fim. A semana já tinha me estressado o suficiente com todas as obrigações que o sr. Mendonça me dava. Precisava de um pouco de paz.

— E o que isso impede de termos um momento a sós? Eu preciso conversar com você.

Nesse momento ele se sentou ao meu lado, na beirada da cama, me olhou e disse:

— É que tem coisas que eu... — ele deu uma pausa — é... não falei.

Nessa hora Gabriel saiu do banheiro só de toalha (eu passei mal) e nos lançou um sorriso. Estremeci. De início pensei que fosse um sorriso irônico, mas, em se tratando do Gabriel, o sorriso devia ser para valer mesmo. E antes que eu pudesse desgrudar meus olhos do tanque de lavar roupas (de última geração, devo ressaltar), o Pedro saiu do quarto sem me dizer o que ele tanto queria. De novo. Droga.

Bem, acho que isso poderia ficar para depois, já que o Gabriel se aproximou só de toalha e sussurrou ao meu ouvido:

— Ainda não acredito que te encontrei.

E, quando dei por mim, minha roupa e a toalha estavam no chão.

Eu não fazia a mínima ideia do que o Pedro queria falar comigo. Para falar a verdade, eu não fazia mais a mínima ideia de quem ele era nem quais eram as suas intenções. Todo mundo já se sentiu assim em relação a um amigo, é normal: fica-se um tempo afastado e todas as ações da pessoa se tornam estranhas para nós. É como se qualquer segundo perdido ao lado da pessoa fosse valioso. E é. Pelo menos para mim, pois fico me sentindo impotente quando, por exemplo, um assunto surge na roda e alguém faz questão de ressaltar: "Ah, mas você não estava no dia".

Vejam o fato de ele estar namorando a Nataly. Eu disse que odiava a garota, ah, disse. Ele sabia que nós duas tínhamos, hum, bem, um "atrito". Então, por que namorar justo ela? Logo ele, que não acreditava em amor e não tinha paciência nenhuma para ficar com alguém por mais de duas semanas? E esse lance de querer viajar comigo e o Gabriel? Ele odeia o Gabriel. Eu tenho certeza de que não foi de um dia para o outro que ele decidiu mudar isso e ter uma relação de irmão para irmão com ele. Nada fazia sentido, nada, nada. É como se eu tivesse peças de vários quebra-cabeças incompletos.

— Prima... — Nataly se senta ao meu lado enquanto os meninos, a poucos metros de nós, fazem (ou tentam fazer) nossa fogueira improvisada funcionar. — É sério que este lugar não tem ar-condicionado? Nem no seu quarto?

— Não! É claro que não, Nataly. E também tá um frio do caramba, para que você quer ar-condicionado?

— Ah... São esses bichos. Eles não param de me picar. Queria me trancar dentro do quarto e não sair mais de lá. Odeio natureza. Odeio. Odeio.

— Não seja tão chata! Olha que noite linda. Tá, não tem estrelas e a lua não está lá essas coisas. Mas, ainda assim, a noite está linda, linda...

Ela continua me fitando como se estivesse me vendo pela primeira vez.

— Posso te perguntar... uma coisa?

— Claro. Manda aí — lanço até um sorriso encorajador.

— Você acha que... ele gosta de mim? — pergunta, apontando com o queixo o Pedro, que, no momento, está dando uma gargalhada gostosa porque o Gabriel deve ter dito algo engraçado.

Será que os irmãos finalmente estão se entendendo?

— Eu, é... — Pra ser sincera, querida prima, eu também quero muito saber isso. — É claro que ele gosta. Olha só como ele te olha.

De fato, Pedro passou a olhar fixamente para nós duas, embora continuasse a conversar com Gabriel. Num relance, pensei que tudo podia ficar bem, que eles podiam ser amigos, apesar de todas as diferenças e inseguranças do passado. Por que não?

Um dia todos nós temos de seguir em frente. Sei que *eu* não guardo rancor. Quando alguém me faz algo ruim, fico uns dias jururu, me martirizo, me pergunto "Onde foi que eu errei?", mas logo me dou conta de que às vezes o problema realmente não é comigo e sigo, sem qualquer tipo de angústia no peito. Não adianta bater a cara na parede, chorar, espernear, desejar o mal. Todo o mal causado um dia há de voltar para quem o causou, acredito muito nisso. O universo é o maior justiceiro que existe.

Às vezes sou chamada de "trouxa" pelas pessoas próximas. Trouxa por quê? Porque perdoo alguém que se arrependeu? Porque acredito no melhor das pessoas? Porque não consigo odiar uma pessoa sequer? Porque no meu coração sempre cabe mais um? Então eu sou trouxa, sim. Com muito orgulho. Meus sentimentos estão sempre em uma bandeja, prontos para serem entregues.

Espertos são os que desconfiam, os que vivem com os olhos semicerrados te analisando? Espertos são os que julgam, os que apontam, os que sempre estão certos? Espertos são os que não esquecem, os que te cobram por um erro a vida inteira, os que não conseguem perdoar? Sem ironias, perdão, mas isso não me soa muito esperto.

Quem guarda qualquer tipo de sentimento ruim dentro de si só prejudica a si mesmo. É como eu disse outro dia, a mentira dói mais no mentiroso. Aqui é a mesma coisa. Quem carrega ódio, angústia ou mágoas dentro de si carrega um peso enorme que, aos poucos, esmaga toda e qualquer sanidade. A pessoa se torna vítima de si mesma. Torna-se vítima daquilo que ela mesma criou.

Se as pessoas pedissem mais desculpas, dessem mais abraços, se olhassem mais nos olhos, seriam tão mais felizes...

Nesse momento, o Pedro se senta ao meu lado, me abraça e começa a dizer:

— Tá com frio, branquela? — pergunta, tirando o casaco de couro habitual e colocando-o nas minhas costas. — Fica com ele.

Olho ressabiada para a Nataly, que faz um biquinho de ciúme, e me sinto culpada. Será que o Pedro não se toca de que esse papel de oferecer o casaco e coisa e tal deve ser dirigido à sua namorada e não a mim? São ossos do ofício, meu amigo. Você começa a namorar e eis aqui algumas coisas que não pode fazer: 1) valorizar mais sua amiga que sua namorada, senão, automaticamente, sua amiga é uma vaca que está querendo ferrar o relacionamento de vocês dois; 2) oferecer um casaco para essa amiga; 3) um casaco com o seu perfume delicioso; 4) perfume que faz a tal amiga arrepiar.

Meneio a cabeça, entregando o casaco para minha prima.

— A Nataly tá com mais frio que eu.

Pedro parece finalmente entender o que quero dizer e, prontamente, abraça minha prima e dá um beijo na bochecha dela. Saio de perto para não vomitar. E me volto para o Gabriel, que está sentado perto da fogueira e tenta fazer com que o fogo não se apague com o vento gélido que corta a noite:

— Tá fazendo o quê aí, bonitão?

— Sabia que fogueiras antigamente eram usadas sempre na celebração de alguma coisa? Seja de uma caça bem-feita ou um aniversário? — pergunta, cheio de si, contente por partilhar comigo essa informação. — Essa era a ideia de divertimento dos nossos antepassados.

— Ah, eu não sabia disso. E o que estamos comemorando hoje?

— Precisamos de motivos para comemorar? — ele começa, e me puxa para perto de si.

Damos um beijo demorado e momentaneamente esqueço onde estou. Às vezes o Gabriel me entorpece. Sempre dizendo as coisas mais improváveis e me trazendo a paz que tanto desejo. Ele é um cara nota dez, de verdade. O tipo do cara que você apresenta a uma amiga e ela fala: "Por favor, case-se com ele!".

Sempre desejei encontrar alguém que fosse perfeito para mim, o tal do príncipe encantado, o cara que não me faria reclamar de nada. Mas é isso mesmo um relacionamento? Ter ao seu lado alguém que seja perfeito em todos os momentos? Alguém que não erra, não deixa um fio de cabelo em pé? Eu sei que eu erro. O tempo todo. Puxa, eu já acordo errando quando escovo os dentes, sem perceber, com a escova do meu irmão. Qual é?

Eu tenho sono pela manhã, viu? Como vou diferenciar verde-água de azul-claro? Impossível.

O que seria um relacionamento perfeito? Duas pessoas que se dão bem o tempo inteiro, não brigam, não discutem e gostam das mesmas coisas? Ou duas pessoas que soltam faíscas pelo olhar e mais se parecem dois elementos químicos prestes a entrar em combustão o todo tempo? Pois eu lhes digo: nenhum dos dois. Cresci acreditando na expressão *feitos um para o outro*. Fazer o quê?! Os filmes nos iludem. Porém, hoje em dia, isso me passa a ideia de duas pessoas que não têm sentimentos, opções, escolhas. Foram feitos um para o outro, apenas isso. "Oi, tudo bem? Então, é que nós somos perfeitos juntos. Vamos ficar para sempre?"

Há quem diga que devemos procurar pessoas iguais a nós, que tenham os mesmos gostos e desgostos. Se eu gosto de mar, verão e sol, devo procurar um surfista que fique o dia todo na praia passando parafina em sua prancha e me faça sua musa do verão (*Alou, Felipe Dylon?*). Se eu gosto de frio, de sobretudos e de botas, devo procurar alguém que more no Sul do país e pedir em casamento o quanto antes. Isso não tem cabimento algum.

A verdade é que devemos procurar pessoas que nos façam sentir vivos. Que nos façam sentir o sangue pulsar nas veias. Que nos façam querer rodopiar ao som do silêncio da noite. Devemos procurar pessoas que nos tragam a sensação de corrente elétrica percorrendo o corpo. Aquela pessoa, única, que é capaz de acender um fogo com apenas uma faísca. É essa.

E, no momento, eu não sei se sinto isso pelo Gabriel.

Eu sou patética. Patética. Isso não é novidade para ninguém. Sofro, sofro, sofro, e quando acho um cara legal me encho de dúvidas. Mas a gente manda em alguma coisa? *Ei, coração, por favor, acelere. Esse garoto é de ouro, nunca mais vou encontrar outro igual. Se eu ficar para titia a culpa é sua, viu? Toda sua.* De que adianta? Nada. Nadinha. Tentar fazer com que a pessoa ideal se torne o amor da sua vida é besteira. O ideal quase nunca impressiona.

Por exemplo: quando você vai ao cabeleireiro e ele diz que o corte de cabelo ideal para o seu rosto é o chanel. Mas você quer ter um cabelo chanel? Não! Você ama seu cabelo na cintura. O ideal é que, para uma vida mais saudável, paremos de comer frituras, doces e refrigerantes. E você quer deixar de comer essas delícias? Não! Manda mais um brigadeiro aí. Você faz um teste vocacional que indica que você deve cursar arquitetura. E você quer? Não! Afinal, seu sonho sempre foi ser atriz. Entende o que quero dizer? Nem sempre o ideal é aquilo que realmente queremos. Ele, o ideal, só está ali para nos lembrar de que o poder de escolha é todo nosso.

E escolher é difícil demais. Eterniza suas decisões.

Do alto do morro onde fica o chalé, podemos ver toda a cidadezinha. As casas amontoadas, com suas luzes infinitas. Me deslumbro com a paisagem. Faz frio, mas não aquele frio que incomoda, que congela os ossos e não te deixa nem sorrir. Sorrio ao me lembrar da cigana. Buraco negro... O que ela queria dizer com isso?

De longe, ouço os meninos me chamando. Finalmente nossa fogueira "pegou". Eu adoro me sentar ao redor de uma fogueira, beber com os amigos e cantar um pouco. É uma sensação única. E hoje seria especial, afinal, quem ia tocar violão e cantar era o Pedro.

Sabe?, quem é inspirado pela arte precisa sempre de um estímulo para nunca deixar sua paixão de lado. Sei que escrevo melhor quando estou feliz, contrariando aquele ditado de que escritor escreve melhor ao longo de um grande sofrimento. Pelo menos, comigo é assim. E os músicos? O que os motiva?

Pedro Miller. Pedro Miller. O garoto que era o vocalista e guitarrista da banda Fallen Star. Banda de garagem, com músicas próprias e até uma logomarca personalizada (eles fizeram no Photoshop!). Não sei em que ponto da vida ele desistiu da banda, ou da música em si, mas eu fico muito feliz por ver que ele está de volta. Na Costa do Sauípe, ele cantou para quase umas cem pessoas, e desde esse dia sei que não parou mais. O que o inspira? Fico curiosa.

Ele começa cantando uma versão própria de "Um dia a gente se encontra", do Charlie Brown Jr. Uma das minhas bandas nacionais preferidas.

Então vamos viver que um dia a gente se encontra...

Deito a cabeça no colo do Gabriel e assim ficamos por um bom tempo. Nós quatro parecemos felizes, despreocupados, como se mais nada no mundo pudesse nos afetar. E não é que estamos mesmo? A música tem esse poder de afastar todos aqueles sentimentos confusos dentro de nós. É como se ela dissesse: "Não importa o que você está sentindo. Apenas escute e permita que eu te leve alguns sentimentos bons". Cantamos em coro nossas canções brasileiras preferidas de Kid Abelha, Legião Urbana, Engenheiros do Hawaii, Charlie Brown Jr., Capital Inicial, Cazuza, Tigres de Bengala... Eu talvez seja um pouco mais desafinada que a maioria; já a Nataly finge que sabe as letras. Mas ainda somos um grupo fofo, né?

Depois é a vez das músicas internacionais: OneRepublic, Lifehouse, The Script, The Fray... E enquanto Pedro canta "You found me", do The Fray, que — ressalto — só nós dois conhecemos, sinto que ele me olha como se quisesse me dizer alguma coisa.

> *But in the end*
> *Everyone ends up alone*
> *Losing her*
> *The only one who's ever known*
> *Who I am, who I'm not*
> *And who I want be*
> *No way to know*
> *How long she will be next time*
>
> tradução:
> mas no final
> todos terminam sozinhos,
> perdendo-a
> a única que conhecia

quem eu sou, quem eu não sou,
e quem eu quero ser
sem ter como saber
quanto tempo ficará na próxima vez

Tento não dar na cara minha preocupação. O que isso quer dizer? Eu sempre estou ao lado dele. Será que ele duvida da minha lealdade? Tenho que dar um jeito de perguntar isso antes de dormir. Não posso mais conviver com esse aperto na garganta.

Enquanto todo mundo se prepara para a noite, Nataly escova os dentes e Gabriel arruma nossa cama — e, aqui, vou ser sincera, ele tem mania de arrumar lençóis de cama a todo momento, o que me irrita um pouco —, chamo o Pedro com um sinal para que a gente vá lá para fora da casa conversar rapidinho. Com as mãos nos bolsos, ele se aproxima de mim. Como no dia em que o conheci, ele puxa um cigarro do casaco de couro e o acende tranquilamente.

— Pedro, desembucha. Qual o seu problema comigo? Porque, olha, não aguento mais. Primeiro você briga comigo na nossa viagem para a Costa do Sauípe. E nem vem, porque você sabia como essa viagem era importante para mim. Sabia que eu ainda estava machucada pelo ano passado, por todas as confusões e reviravoltas que aconteceram na minha vida. Sabia que eu precisava espairecer, respirar novos ares. E o que você fez? O QUE VOCÊ FEZ? De repente me vi sem meu melhor amigo! Foi horrível. Chorei todos os dias durante um mês. Emagreci uns três quilos, e quanto a isso até agradeço. Acho que nunca sofri tanto assim nem quando tomei um pé na bunda!

Respiro um pouco e continuo:

— Foi golpe baixo, Pedro. Você foi ridículo. O que você fez eu não faria nem com um inimigo meu. Eu merecia sua indiferença? Seu desprezo? Eu errei, claro que errei. Mas você também sabe que eu não tinha a intenção de te machucar. Conheci o Gabriel sem saber quem ele era. E aí? Vou fazer o quê? Não posso me culpar mais do que já me culpei. Me arrependi, me torturei, vivi dias que não desejo a mais ninguém. Ainda bem que tinha a Amanda ao meu lado, porque, se não fosse ela, não sei o que faria. Talvez me mudasse para o outro lado do mundo, sei lá. Eu posso ter ferido seus sentimentos ao ficar com o seu irmão, mas saiba que se em algum momento você tivesse me pedido para escolher um lado, eu escolheria você. Sempre foi você, Pedro. Ninguém nunca vai tirar isso da gente. Será que você não entende?

Ele dá mais um trago no cigarro, ainda sem me encarar. Depois de uns segundos refletindo sobre o que eu disse, vira a cabeça na minha direção, encaro a cicatriz na bochecha esquerda, agora iluminada pela lua, que, fraca, brilha atrás das nuvens.

— Entendi. Eu entendi, branquela — limita-se a dizer.

— Então é isso? "Eu entendi"? Será que você não pode ser mais frio ainda? Alô? Tem alguém aí dentro?

Ele dá uma gargalhada cortando o silêncio.

— Não tô sendo frio — declara, jogando o cigarro longe e parecendo prestar atenção em mim pela primeira vez. — Eu fiz isso tudo para o seu bem. Você deveria me agradecer.

Há! Agradecer. Agradecer? Esse menino está louco? Insanidade temporária? Por favor, tragam a camisa de força. Desde quando tratar a outra pessoa como lixo é fazer o bem? Perdi essa parte nas regras de boa convivência com o coleguinha.

— Te agradecer? — Dou um tapa no seu braço. — TE AGRADECER? Você é um filho da p...

Nesse momento, ele me puxa para perto de si e sinto seu peito junto ao meu. O coração dele bate forte, acelerado, como se estivéssemos prestes a mergulhar numa grande queda. Sinto a adrenalina percorrer minhas veias. O perfume tão conhecido agora tão perto. Eu posso jurar que vou desmontar como uma boneca de pano.

— Não fala isso, Isa... — sussurra ao meu ouvido. — O que eu tô tentando te falar desde que viajamos para a Costa do Sauípe é que...

— É que você é um idiota. É isso que você quer me falar. Mas não precisa me dizer porque sozinha eu já consegui perceber isso. Veja bem, namorar a Nataly! NAMORAR A NATALY. Mais o quê? Ah, sim, me tratar... — Ele me interrompe e me aperta mais um pouco, e agora apenas alguns milímetros de distância separam nossas bocas.

— É que eu gosto de você.

Paro de relutar por uns segundos e o encaro boquiaberta, sem reação.

— E antes que você comece a falar de novo, eu não gosto de você só como amigo. Eu te quero. Muito mesmo. Do jeito que eu nunca me permiti querer ninguém e do jeito que nunca achei que fosse querer alguém.

Ele diz isso olhando nos meus olhos e eu posso jurar que os olhos azuis tristes brilham com uma intensidade diferente. Fico sem palavras pela primeira vez na vida. Nossos rostos ainda rentes, meu coração quase saltando pela boca. Sem pensar no que estou fazendo ou quem estou machucando, me entrego. E ele me beija.

As mãos dele seguram com força meus cabelos pela nuca e eu inspiro seu cheiro profundamente. Ele me segura como se nunca mais quisesse me soltar e me joga contra a parede de madeira da varanda. Tiro seu casaco e sua camisa, e ele começa a levantar meu vestido até em cima, enquanto beija meu pescoço e me faz arrepiar toda com a barba que está por crescer.

Combustão espontânea, é inevitável. Tremo dos pés à cabeça, nunca imaginei que ansiava tanto por isso. Ele passa a língua de leve na minha orelha e diz baixinho:

— Você simplesmente me deixa louco.

Enquanto a cena se desenrola, sinto como se estivesse voando pela primeira vez. Meus pés poderiam estar no chão, mas minha mente voa em meio a este céu quase negro. Eu poderia levitar se quisesse, tenho certeza. O que é isso, essa vontade de viver? Essa vontade de gritar sem motivo algum? Ele para de me beijar por alguns segundos e segura meu rosto com as duas mãos. Parece que estamos nos vendo pela primeira vez. O que está acontecendo? Ele está sorrindo. Uma gargalhada gostosa. Nossos olhos nem se desviam, ficamos assim por uns dois minutos. Em silêncio, apenas apreciando um ao outro.

Então ele me puxa e me beija mais uma vez. É como se houvesse um balão dentro do estômago.

— É. Acho que também gosto de você e não só como amiga — digo quando paramos de nos beijar.

— Você acha?

Ele se diverte com meu comentário enquanto coloca a camisa de volta, arruma os cabelos e declara, convicto:

— Eu tenho certeza, branquela. — Dizendo isso, dá uma piscadinha e me beija novamente.

Quando paramos de nos beijar, olho para a porta da varanda e vejo Nataly com uma máscara verde de pepino na cara, toalha na cabeça e um roupão rosa-choque. O olhar dela é de desprezo e ao mesmo tempo de vilã mexicana que procura vingança.

— Eu vi tudo. E não pensem vocês que isso vai sair barato, porque não vai — atira, cheia de ódio, e vai para dentro do chalé sem dizer mais um "a".

Estremeço. Por que o *Filme da Isabela* sempre dá errado no final dos capítulos?

CAPÍTULO 8

Se você pudesse optar por não ter sentimento algum... Será que ainda sentiria? Sim!

http://garotaempretoebranco.blogspot.com

Alguns de vocês acertaram. Sim. Eu e o P. nos beijamos. Sim. Foi o melhor beijo da minha vida. Sim. Eu quero beijar ele de novo. Sim. Estou me sentindo um lixo porque 1) eu traí o G.; 2) eu traí a minha prima; 3) eu gostei disso.

Caramba, como é difícil ser mocinha o tempo todo, sinceramente, não nasci para isso. Até porque, depois da puxada de cabelo que o P. me deu fica difícil ser mocinha. Eu só quero ir até a casa dele, jogar ele na cama e dizer "Vem". Só de pensar nisso, tremo.

Agora fica aquele problema: como dizer ao G. tudo o que aconteceu? Ele vai me odiar para sempre? Em caso positivo, como vou conviver com isso? Eu gosto dele, apesar de tudo. Ele me faz bem.

Não sei como me sentir, não sei se é certo dizer que estou feliz, porque não estou. Estou angustiada, sem saber como sair de uma situação que eu mesma criei.

Torçam por mim. Hoje vou apresentar o projeto do meu livro para o meu chefe, aquele que transpira muito, vocês sabem. Quem sabe não vem um livro meu por aí? Vocês gostariam? Comentem!

Um beijo e até amanhã.

Postado por Garota em Preto e Branco no dia 22 de abril às 11:44

6 DE 607 COMENTÁRIOS.　　　　　　　　COMPARTILHE >

Hellen comentou:
Livro??????? Seu?????? Compraria até sua lista de afazeres diários!!!!!!!!!

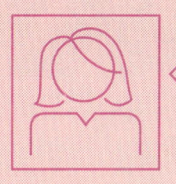

Giulia comentou:
Eu sabia!!!!!!!!!!! Você e o P. são lindos juntos! Ai-meu-deus! Ai-meu-deus! Ai-meu-deus! Amei!!!!!

Dani comentou:
Ahhhhhhhhhhhhhhhhhhh, conta mais do P., conta, conta, conta!

Vi comentou:
SE NÓS QUEREMOS UM LIVRO? QUEREMOS É DOIS!!!!!!!!!

Carol comentou:
O G. merece sua sinceridade. Abra seu coração. Ele não vai guardar rancor para sempre. Tenho certeza. Opte pela sua felicidade, um beijo.

Ray comentou:
WOWWWWWWWWWWWWWWWWWWWW VOCÊ E P.!!!!!!! WOWWWWWW LIVRO!!!!!!!!

Ilusão. Iludir. Iludir-se. O que é ilusão?

Ilusão

s.f. 1. Falta de percepção ou de entendimento que prejudica os sentidos; compreensão errada da mente. 2. Confusão que faz com que alguém não consiga distinguir a aparência da realidade. 3. Confusão entre aquilo que não existe (falso) e o que existe realmente (verdadeiro); devaneio ou sonho.

A verdade é que nos iludimos todos os dias, a todo momento. A ilusão começa quando você acorda cantarolando sua música preferida e subitamente se sente invadido por uma confiança inabalável. Você se sente capaz de resolver todos os problemas e de salvar o mundo com uma capa vermelha, se for preciso. Mas é só colocar os pés fora de casa para a realidade cair em cima com tudo. Você tem uma pilha de trabalho interminável na sua mesa do escritório ou uma prova muito difícil no dia seguinte. Seu namorado não está olhando na sua cara porque descobriu que você ainda conversa com aquele ex que não sai do seu pé, e seus pais estão te cobrando pelo dia que você vai tomar juízo e ser mais independente. Como resolver todos esses problemas? Não será apenas colocando uma capa vermelha.

Parece que nos alimentamos de ilusões. Elas são o combustível que nos motiva a continuar sempre em frente. É como se vivêssemos apenas um pouquinho do que gostaríamos que a vida fosse. Faz algum sentido? Acho que faz. Ao se iludir você sai um pouco do chão, se permite voar com asas de papel. Só que elas não resistem muito, verdade. Minha asinha de papel se rasgou. E o problema é que quando nossas asas se rasgam a queda é dura e não há ninguém lá embaixo para nos segurar. Daí nos tornamos caquinhos ambulantes, espalhando pedaços de nós por todo lugar em que passamos.

Muitas pessoas preferem viver uma ilusão a realmente viver. Aposto que você conhece alguém que tem um namorado que trai, mente, humilha, e mesmo com todas essas provas de desamor não se separa dele. Por quê? Porque na sua cabeça tudo ainda pode ser diferente. "É apenas uma fase", "Ele vai melhorar", "Ele vai mudar", "Ele me ama, só está passando por um momento difícil", "Mas sempre me imaginei casando com ele."

Tudo bem, entendo. É difícil quando projetamos no outro todas as nossas expectativas e ele simplesmente as esmaga com as mãos e as joga no lixo. Do tipo "Ei, quem você acha que é? Tu não me conhece, garota. Eu sou isso aqui, está bom para você?". E o surpreendente é que, muitas vezes, está. Por quê? Você se contenta com o mais ou menos? Com o morno? Aquilo que não te arrepia? Você se contenta em viver pela metade, em ganhar beijos que não duram mais que um segundo? Você se alimenta de ilusões? Vive amores de época que só existem na sua mente? Você deixa que oportunidades escorram pelas suas mãos? Pois eu te digo uma coisa: a pessoa que você quer ser, existe. A vida que você sempre sonhou ter pode se tornar real. E suas ilusões podem dar lugar a um pouquinho de realidade.

Não quero ser vítima do destino. Sem essa de ser aquele tipo de pessoa que se lamenta pelo que não deu certo e amaldiçoa os que chegaram aonde queriam. Deus me livre ser assim! Quero conquistar meu lugar no mundo, ser inesquecível para as pessoas que me cercam e lutar pelo que acredito. Quero cair de cara no chão repetidas vezes, pois quem não se permite cair de vez em quando não sabe a força que tem. Eu sei.

Sempre escutei das pessoas que tenho muita sorte. Mas, espera aí, o que é sorte? Sorte é ter um amor para chamar de seu, um bom emprego, amigos de verdade e uma família constituída? Ou sorte é ganhar na Mega-Sena, encontrar petróleo e conhecer seu ídolo? Não sei. O que quero dizer é que o conceito de "sorte" é tão subjetivo que não acredito realmente que ele exista.

A única coisa capaz de me diferenciar da maioria das pessoas é que eu sempre acreditei. Acreditar — é disso que o mundo está precisando. Quem não acredita se tranca dentro de si, repele pessoas, sentimentos e oportunidades. Portão fechado não é convite para novidades.

E, neste mundo de ilusões, quem consegue ser lúcido o suficiente para continuar em busca do seu pedacinho de realidade... é realmente feliz.

• • •

A sala do sr. Mendonça nunca pareceu tão pequena e assustadora. Eu balançava as pernas descontroladamente e já não tinha tanta certeza se queria estar ali. Será que conseguiria convencê-lo? Não seria difícil. Seria? Ele gostava de mim, vá lá. Eu fazia tudo que ele me pedia havia meses, sem reclamar de nada, nem mesmo quando ele me pediu que fosse ao enterro da sua tia-avó para "representá-lo". Mal sabe ele como foi complicado.

Três. Esse era o número de pessoas que compareceram ao sepultamento da tia Genivalda. Tudo numa boa, pensei. Ora, daqui a pouco todos começarão a chegar e eu passarei despercebida. Sim. Sim! Apenas mais um fantasma no meio desse cemitério, é o que serei. Mas não, ninguém chegou. Tia Genivalda, pelo visto, não deixou muitas saudades neste mundo e eu tive de explicar o que estava fazendo ali para ninguém menos do que o filho da defunta.

— Ah... É que o sr. Mendonça pediu que eu viesse.

— Sr. Mendonça? Hum... E você é o quê dele? Namorada? Aquele safado se deu bem, no final das contas!

— Não! Não! — me apressei em dizer. — Não sou namorada. Eu sou a quebra-galho.

— Você só quebra um galho pra ele e vai embora?

— É. Isso mesmo — eu disse, orgulhosa do meu posto.

— Nossa, então ele está melhor ainda! Quem diria, o Mendonça... Tendo casos descompromissados com meninas novinhas como você.

— O quê? NÃO!!!! Não! Mil vezes não. Nós não temos *um caso*. Eu apenas trabalho no escritório dele. Como quebra-galho.

— Ah. Que porre, hein? — repondeu o filho de tia Genivalda.

Assim, além de ter de ver uma defunta que eu nem sequer conhecia, ainda tive de me explicar ao filho dela, que, por acaso, achou que eu fosse o objeto sexual do sr. Mendonça. Enfim, um dia memorável, inesquecível mesmo, acho que contarei para os meus netos. Graças ao meu chefe querido.

— Bom dia, Isabela — diz o sr. Mendonça entrando na sala e me fazendo mudar os pensamentos. — A que devo a honra? Já fez o café?

— Descafeinado com açúcar. Está na sua mesa, senhor.

— Hum, hum, muito bom — elogia, ao bebericar um pouco antes de colocar os dois pés em cima da mesa. — Mas o que você quer?

— Eu, é...

Eu nunca soube como pedir um favor a alguém. Desde pequena, quando precisava de meio ponto para passar de ano sem pegar recuperação, via todas as minhas amigas abusando do carisma para cima dos professores e me sentia incapaz de fazer o mesmo. Não gosto de pedir, gosto de merecer. Porém, com o passar dos anos aprendi que pedir não custa nada e muitas vezes conseguimos o que queremos.

E aqui estou, como uma pedinte de primeira linha. E, se precisar, eu choro também.

— Desembucha, menina. Não tenho o dia todo para suas besteiras — resmunga ele, enquanto folheia o jornal do dia que deixei em cima da sua mesa.

Ele não pode ser mais simpático?

— Então, trouxe isso para o senhor dar uma lida — estendo meu manuscrito. — Como o senhor sabe, tenho o sonho de publicar um livro. E este aqui é o projeto do que penso que seria meu livro: um compilado de pensamentos meus, como se fosse um diário de uma garota qualquer que gosta de expor seus sentimentos. Acho que falta um livro assim no mercado, sabe? Um livro sobre uma garota comum, falando sobre sentimentos que são comuns a todos.

Ele desvia os olhos do jornal e me encara com um sorriso irônico. Prossigo:

— Quando entrei aqui o senhor me disse que um dia eu teria a minha chance, e como eu já tinha todo esse material guardado, achei que talvez o senhor pudesse dar uma lida.

Ele me espia de cima a baixo, olha com desprezo as folhas do manuscrito. Tamborila a caneta em cima da mesa e só depois de uns minutos cede. Corre os olhos pelas páginas que escrevi, sem dizer uma palavra. Minhas pernas continuam a tremer. Meu Deus. Isso é mais difícil do que entrevista de emprego. Enquanto lê, o sr. Mendonça solta uns grunhidos ininteligíveis.

— E aí? — pergunto, esperançosa.

Ele pousa as folhas em cima da mesa e anuncia:

— Nunca li algo tão... Tão... — me encho de felicidade, ele está prestes a me elogiar, é isso? — ... tão horrível. Garota, você não tem talento nenhum! Um amontoado de baboseiras, se quer mesmo saber a minha opinião.

Dizendo isso, ele atira tudo na latinha de lixo que fica embaixo da mesa.

— Ninguém nunca compraria este lixo. Melhor você saber logo de uma vez.

Fico sem reação. Como assim? Passei noites em claro trabalhando em cima daquelas palavras. Elas são reais, são sentimentos que o meu coração um dia sentiu, não é possível que não tenha conseguido atingi-lo de nenhuma forma. Isso não pode estar acontecendo comigo. Não, não. O que ele diz mesmo? Um lixo. Lixo... Todo o meu esforço, no lixo. No lixo do sr. Mendonça.

Tento dizer alguma coisa, mas as palavras não saem. As lágrimas já avisam que em breve vão cair, e em menos de cinco minutos estou andando pela avenida principal da cidade, desnorteada. Nunca mais voltarei àquele lugar. Não quero pessoas me dizendo o que devo fazer ou quem eu devo ser. Não mesmo.

Minha vida tem como piorar? Tudo está desmoronando sobre a minha cabeça. Todas as minhas certezas desceram pelo ralo. Em que momento perdi o controle? Em que momento deixei de guiar meu corpo e minha mente? Sinto-me um zumbi andando de um lado para o outro, sem saber o que fazer.

Tudo começou em Ibitipoca, com o Pedro. Todo o lance do beijo mexeu com minha cabeça de uma forma inexplicável. Nataly, no dia seguinte, inventou que estava doente e que precisava voltar a Juiz de Fora urgentemente. Voltamos. Eu e Pedro trocamos olhares apreensivos e nada mais do que isso durante a viagem; e o Gabriel, bem, o Gabriel não sabe de nada. Continua a me amar como se eu fosse merecedora! Eu não sou, ok? Não sou. Estou toda estranha com ele e não é para menos. Preciso contar o que aconteceu, só não sei como. *"Então, sabe o seu irmão? Aquele que é meu melhor amigo? Acho que sou apaixonada por ele. Mas me desculpe, porque por um momento também pensei que estava apaixonada por você. Não fiz nada por mal."*

Pareço aquelas mocinhas que tanto me irritam em seriados e livros. O tipo que nunca se decide e mantém dois ou três caras (eu não chegaria a esse nível, prometo) em suas mãos por pura indecisão.

Tá, eu sou indecisa, mas o meu coração grita por alguém e eu sei muito bem quem é. Só não sei como dizer ao outro que esse alguém nunca foi ele. Não estou acostumada a ser disputada nem a ser aquela que todos querem. Geralmente, sou a menina que senta no meio-fio com as sandálias nas mãos e chora. Com isso estou acostumada, ah, estou. Mas acho que a vida está querendo me mostrar que há decisões mais difíceis do que resolver se vamos assistir a uma comédia romântica chorando, comendo pipoca ou brigadeiro.

Além de tudo, tenho pisado na bola feio com a minha prima e isso é simplesmente inaceitável. Com certeza, se me contassem a história e eu não fosse parte envolvida, chamaria a mim mesma de "vaca" com a boca cheia. Que direito tenho de me enfiar no meio do namoro deles? Nenhum. Tudo bem que o culpado maior de toda essa confusão se chama Pedro Miller, mas eu também carrego uma culpa dentro do peito.

E, pra piorar todo o martírio que é viver, hoje ainda tive de escutar que a única parte da minha vida que nunca machuca e só me faz bem é um "lixo". Escrever. A maior certeza que guardo dentro de mim desde que me entendo por gente. Mas tudo bem, cabeça erguida. Eu não desistirei do meu sonho por isso. Não mesmo. Nesses momentos a gente se fortalece e se enche de coragem para continuar lutando, mesmo que pareça impossível.

Pode até ser infantilidade, mas não voltarei ao escritório do sr. Mendonça. Valeu a experiência, a esperança que guardei dentro de mim nesse tempo em que trabalhei lá, os amigos que fiz (Magda!, um amor de pessoa) e até mesmo o que ele me disse. Agora quero provar que ele está errado, nem que precise ir até o fim do mundo para isso.

Porque você sabe, eu vou.

— Eu sempre soube... — diz Amanda, me encarando por trás dos óculos, enquanto conversamos em uma das mesas do meu restaurante preferido de Juiz de Fora, o Trem da Serra.

— Ahn? Você sempre soube? Não vem com essa, Mandy.

Folheio o cardápio ansiosa, como se isso fosse aliviar um pouco meus nervos.

— Isabela, só vocês dois não percebiam. Às vezes a tensão entre vocês era tanta, que eu tinha até medo de ficar por perto e pegar fogo junto — responde, sorrindo, e pede uma água ao garçom.

— Não é possível, eu nunca soube... Eu... — perco as palavras, nervosa. — Eu...

— Você não sabia, eu sei. Nunca achei que soubesse, Isa, de verdade. Às vezes só o coração sabe o que quer. E parece que se esquece de dizer ao nosso cérebro.

— Mas, Mandy, por que logo o Pedro? Ele me irrita, ele é galinha, ele é instável, ele não acredita no amor, não pode ser... Por quê?

Estou prestes a entrar em colapso. Colocar nossos questionamentos para fora às vezes pode nos trazer alívio, mas também transforma nossas dúvidas em uma realidade que temos de encarar.

— Porque sim. Por todos esses motivos que você citou. Ele te irrita porque sabe o que se passa na sua cabeça e isso te deixa desconcertada. Ele é instável porque até hoje não encontrou um equilíbrio, alguém que o faça ter vontade de largar a corda bamba. Sobre não acreditar no amor, quem acredita até que ele apareça?

E ela faz essa pergunta como quem dá a cartada final, me deixando boquiaberta.

Olho para os lados, assustada, como se a todo momento estivesse sendo perseguida. Então é isso, estou sendo assombrada por meus próprios fantasmas. Quando essa sensação vai passar? O nó na garganta um dia deixará de incomodar?

— Isa, eu sei o que você está sentindo. O Gabriel é um cara maravilhoso, em *todos os sentidos*. Vamos ser sinceras, além de bonito, gostoso, barriga de tanquinho, cheiroso — Mandy para aí a lista de elogios porque lanço um olhar cortante para ela. Já está bom de elogios, né? — Tá, me empolguei. Bem, ele, além de ser tudo isso, realmente te trata como você merece. Como você sempre quis ser bem tratada. Mas, e daí? A culpa não é sua se simplesmente não dá certo.

— Mas eu queria que desse certo. Entende? Seria tão mais fácil. Eu precisava de um relacionamento assim, sem complicações.

— Você lá sabe do que precisa? — ela se irrita.

— Amanda, eu não consigo respirar quando falo do Pedro. Eu perco as forças quando vejo o Pedro. Eu acordo já pensando nele. E só de pensar nele já me enfraqueço toda. Eu estou ficando LOUCA. Enlouquecendo, é isso que estou. Isso não pode ser bom, de forma alguma.

— Isso tem outro nome lá de onde eu venho — se diverte Amanda.

— Ai, cala a boca! E vamos pedir nossa comida — desconverso e peço nosso almoço.

A conversa de mais cedo com a Amanda ainda repercute na minha cabeça. Nós todos somos, no mínimo, muito estranhos. Reclamamos quando as coisas não dão certo, culpamos os céus por nossas decepções amorosas e esbravejamos contra o destino quando ele não segue o roteiro planejado. Mas e quando você só precisa se entregar sem medo?

Desde que aprendi a me amar, gosto de quem se basta por si, de quem não é carente de atenção, não se desespera em busca do amor, não faz da vida uma busca desenfreada por uma alma gêmea. Sou uma observadora nata, gosto de desnudar almas apenas com o olhar. E é engraçado como nós, pessoas observadoras, conseguimos saber tudo sobre alguém que não conhecemos apenas prestando atenção em suas atitudes. Pessoas que fingem felicidade, pessoas que escondem sentimentos, pessoas que não estão onde querem estar, pessoas que não conseguem amar, pessoas que não são quem querem ser.

As únicas pessoas que nós, observadores, não conseguimos ler e decifrar são os diferentes. E permitam-me dar-lhes um nome que inventei: pessoas-abismo. Por que pessoas-abismo? Ora, porque não sabemos o que nos espera, mas a vontade que temos é de nos jogar de cabeça e torcer para que o paraquedas funcione. As pessoas-abismo vivem em seu próprio mundo. São introspectivas. Profundas. Elas também observam. E isso me intriga. *Por que não posso saber mais sobre você? O que você esconde? O que pensa? Já amou alguém? Qual o seu nome? Seu cheiro? De onde veio? Aonde quer ir? Me leva?*

E a conclusão que tiro disso tudo é que no fundo todos nós somos abismos a serem descobertos. Todos. Eu, você, a pessoa que está ao seu lado enquanto você lê este livro. Alguns não sabem como fazer para não serem tão rasos. Outros são tão profundos que ninguém quer se arriscar. Mas, no final, somos todos abismos, esperando por aquele ser único, que vai pular de ponta-cabeça sem medo de se machucar.

E eu estava à beira de pular...

Isabela: Tá aí?
Pedro: Tô. Já está com saudades?
Isabela: Idiota. Não.
Pedro: Então, tá. Tchau.
Isabela: ESPERA! Espera, que dia você volta?
Pedro: Daqui a uma semana. As audições pra vocalista da banda vão durar esse tempo, são várias fases. Torça por mim.

Alguns dias depois do que aconteceu entre nós, Pedro recebeu uma ligação de um caça-talentos do Rio de Janeiro. Eles queriam montar uma banda e ele se qualificava para concorrer com mais outros cem rapazes pela vaga de vocalista. As bandas hoje em dia são formadas assim, sabe? Alguns produtores fazem uma seleção, escolhem os integrantes, injetam dinheiro, produzem um CD e torcem para que dê certo. Um sonho impossível, sim, mas que ele está disposto a buscar. Assim como eu, que vou até o inferno para realizar o meu sonho.

Isabela: Você está perdendo muitas aulas...
Pedro: Como se você se preocupasse com isso. Está com saudades, pode falar, branquela...
Isabela: Aff. Tá.
Pedro: Tá o quê? Tá com saudades ou tá encerrando o assunto?
Pedro: Isa? Não me deixa falando sozinho. O que houve?

Isabela: Pedro, o que nós vamos fazer?
Pedro: Como assim o que vamos fazer?
Isabela: Minha vida virou de pernas pro ar.
Pedro: Você confia em mim?
Isabela: Oi? Que tipo de pergunta é essa?
Pedro: Confia?
Isabela: Confio.
Pedro: Então deixa que eu resolvo. Fica bem, tá?
Isabela: Tá.
Pedro: Tá com saudades ou tá que vai ficar bem? ...Tô brincando.
Isabela: Hahaha. Tão engraçadinho. Se cuida, hein? E boa sorte.
Pedro: Obrigado. Vou precisar. Chegou a minha vez aqui, vou pensar em você enquanto toco.
Pedro está off-line.

Ai, como não se derreter? COMO?

Me aproximo da portaria do meu prédio e vejo a Marina, aquela dissimulada, que no ano passado ficou com meu ex-namorado na minha frente e agora está de casinho com ele novamente. Como se eu me importasse. Ela está com um sorriso idiota no rosto. Aí tem. Ah, tem. Começo a revirar minha bolsa à procura das chaves, rezando para que isso seja um mal-entendido e que ela esteja aqui apenas para sair com algum vizinho meu ou algo do tipo.

— Isaaaaa!! Justamente a pessoa que eu queria encontrar. Como está, baby?

Ela me puxa e me dá um abraço apertado. Ok. O que está acontecendo aqui? Porque eu sinto que estou prestes a tomar uma punhalada pelas costas.

— Estou ótima... baby — me limito a dizer. — E você?

Dou um sorriso irônico tentando entrar na onda. Respira, respira, vai ficar tudo bem. Ela não pode te assassinar em frente a todas essas possíveis testemunhas. Pode? PODE?!

— Que bom, que-ri-da! Mui-to bom — diz, gesticulando e fazendo um barulho estridente e irritante com suas pulseiras e bijoux. — Acho que você sabe por que vim até aqui.

— Hum... Está com saudades de mim? — debocho.

Ela me lança um olhar mortal e nesse momento penso que realmente a morte é iminente.

— Não, eu vim aqui para te dar um re-ca-di-nho...

Ela está toda teatral, afetada. Faz caras e bocas e me olha como se perguntasse: "Estou me saindo bem?". Escuta, se o objetivo é me assustar, com certeza o trabalho está bem-feito. Eu só quero dar o fora daqui.

— Que re-ca-di-nho? Eu tenho coisas a fazer, sabe? Uma vida pra cuidar — alfineto.

— Claro, claro! Sei disso, amor. — Marina faz uma pausa dramática e continua: — Sabe, eu fiquei sabendo o que você fez com a Nat...

Ela está se referindo à Nataly? É isso? É só isso? Tudo bem. Provavelmente ela vai me dar o troco beijando o Gabriel na minha frente ou contando a ele tudo o que aconteceu. Pode ir em frente, queridinha. É bom mesmo, porque aí você me ajuda nesse dilema que não consigo resolver.

— É mesmo? *Gostou?* Sou capaz de muito mais — respondo.

Tá. Eu não sou capaz de muito mais, nem sei o que isso quer dizer, mas quero parecer ameaçadora, vamos lá! Ela praticamente está me intimidando num beco escuro. Eu preciso revidar.

— Olha! Temos então algo em comum. Também sou capaz de muito mais. — Ela sorri mostrando todos os dentes. Deus, ela sabia de alguma coisa sobre mim. — Sou capaz até mesmo de descobrir quem escreve em blogs anônimos aí pela internet.

Merda. Merda. Merda. Ela sabe alguma coisa do meu blog? Como? O que ela está querendo dizer com isso? Meu Deus! Se eu tenho um anjo da guarda, essa é uma boa hora para ele intervir por mim. Uma bala perdida, hein, hein, hein? Vamos lá, anjinho. Sei que você vai me ajudar nessa daí. Tento parecer impassível:

— Hum. E eu com isso?

Ela dá a tacada final:

— Você vai saber o que você tem com isso. Em breve o troco vem, queridinha.

E, como se tivesse saído de um transe, ainda completa:

— Foi um prazer te en-con-trar! Você, como sempre, é um a-moooor. Beijos, baby!

E sai desfilando pela rua como se nada tivesse acontecido. Agora, o que mais pode acontecer? Vou descobrir que estou sendo acusada de assassinato ou que estou grávida de *aliens*? Porque, olha...

CAPÍTULO 9

Caiu?
Levanta.
Terminou?
Recomeça.
E para todas as outras coisas...
sorria

http://garotaempretoebranco.com.br

Oi, que-ri-di-nhos. Vim por meio deste post revelar minha real face para vocês: me chamo Isabela, curso faculdade de direito na UFJF (para quem não sabe, a federal aqui de Juiz de Fora) e eu não tenho sido uma pessoa boa.

Tenho um namorado que eu não admito que seja o meu namorado, Gabriel Bragança. E ele aceita isso porque, bem, ele é meu cachorrinho. Tenho um melhor amigo que é um escroto, mas, por algum motivo, é dele que eu gosto. Ele se chama Pedro Miller. Ah, e vocês já sabem, né? Eles são irmãos gêmeos. Ops. Acho que baguncei uma família.

Fico dividida entre os dois, só que, na verdade, acho que deveria era ficar sozinha. Será que quando eu contar para o Gabriel sobre o beijo que dei no Pedro lá em Ibitipoca ele vai ficar feliz? Acho que não. E, pensando bem, mereço mesmo ser humilhada.

Minha melhor amiga, a Amanda, é uma chata. Mantenho-a ali do meu lado simplesmente porque não tenho ninguém melhor para conversar, já que sou superestranha e as pessoas não se aproximam muito de mim.

Meu ex-namorado já está namorando outra e, às vezes, sinto um pouco de inveja, porque a sua nova namorada é linda, a mais bonita da faculdade... Marina.

Até o próximo post. Beijinhos. Aqui vai uma foto minha (em anexo).

Postado por Garota em Preto e Branco no dia 23 de abril às 19:08

4 DE 1.267 COMENTÁRIOS.   COMPARTILHE

Nayara comentou:
Oi, Isabela! Obrigada por revelar finalmente quem você é. Mas, ei, foi só eu que achei estranho o modo como você escreveu? Parece que nem é você... Esquisito. Beijos, te adoro!

Taina comentou:
Isa, que legal você nos contar um pouco mais sobre você. Mas que lance é esse de falar mal da sua melhor amiga? Não gostei.

Bru comentou:
Garota em Preto e Branco, essa daí não é você. Só digo isso.

Camila comentou:
Oi? Não entendi nada do post =/

O que deixa seu coração apertadinho como se ele de repente não coubesse mais dentro de si? Angústia. Incerteza. Ansiedade. Saudade. Insegurança. Medo. E talvez aquela sensação inquietante de que, infelizmente, você é seu próprio super-herói e deve se salvar sozinho. Imaginem todos esses sentimentos misturados e batidos em um liquidificador, imaginou? É assim que está o meu coração.

Eu não preciso dizer que meus dias estão sendo ruins, pois isso está nítido na minha "não vontade" de me arrumar esta tarde. Visto um macaquinho jeans velho que foi da minha mãe, coloco um par de chinelos e saio em direção a uma pracinha que fica perto da minha casa. Como moramos no Centro da cidade, nunca me sinto sozinha por aqui. O Parque Halfeld é um dos pontos turísticos mais famosos de Juiz de Fora, também pudera, com tanta natureza por aqui, fica difícil não se impressionar.

O parque é bem grande, com muitas árvores, algumas pontes de bambu e quiosques em toda a sua extensão. Há diversos banquinhos e até algumas mesas onde os idosos jogam xadrez ou cartas. Eu gosto de vir aqui, pois em meio a tantas pessoas tranquilas, meu pensamento voa um pouquinho além. Enquanto lamento a desgraça que acomete minha vida, me distraio observando um casal de velhinhos que namora em um banco próximo ao meu. Então é isso o amor? Depois de tanto tempo ainda ser capaz de agir como adolescente apaixonado? Será que um dia serei assim? Parece que só alguns têm a sorte grande de encontrar um amor como esse, e com essa maré de azar que se chama "minha vida" acho difícil isso acontecer comigo.

— Isabela? — escuto uma voz me chamar. — O que você está fazendo perdida por aqui?

Esse é o problema de se sentar no maior parque de Juiz de Fora à procura de paz. Você não vai ter paz, provavelmente algum conhecido aparecerá. E, claro, também vai te achar superestranha pelo momento sentada-no-banco-da-praça-pensando-nele.

— Tiago?

Sim, de todas as pessoas no mundo quem está aqui na minha frente? Ele. Tiago. O cara com quem eu ficava tempos atrás, por quem ano passado me vi apaixonada e que no fim me deu um pé na bunda sensacional. Claro. Quem mais eu poderia encontrar?

— Oi, Tiago! E aí? Eu, é... Vim buscar uma coisa no fórum e acabei sentando aqui para descansar. — O fórum fica em uma das extremidades do parque, ótima a desculpa. — Quer se sentar comigo?

Ok. Agora estou sendo fofa, mas e daí? Eu já superei o fato de ele não querer nada comigo. Bola pra frente, a vida segue. Vou odiar alguém só porque não deu certo?

Ele se senta ao meu lado e pergunta:

— Quais são as novidades?

— Eu estou toda ferrada.

— Ah, que isso... Você? Ferrada? Me recuso a acreditar — diz, certo de que estou sendo irônica.

Não, Tiago, eu não estou sendo irônica, Tiaguinho, meu amor. Agora eu estou mesmo ferrada. Isso é o que eu penso, mas o que digo é:

— É sério. Em breve tudo vai desmoronar na minha cabeça e olha que ela já está cheia de feridas abertas. Não sei se vou aguentar.

Ele me observa mais atentamente, acho que percebe o tom grave da minha voz e vê que é verdade.

— Que isso, Isa... Olha, não sei pelo que você está passando, mas tudo vai se resolver — diz, me confortando e sorrindo, amigavelmente.

— As pessoas não são quem elas dizem ser — respondo, como se fosse um lembrete para mim mesma.

Mas, a julgar pelo olhar que o Tiago me lança, percebo que ele ouviu o que eu disse como se fosse uma alfinetada.

— Isabela, eu... — começa a dizer, abalado. — Você ficou sabendo? O Pedro te contou?

O Pedro me contou o quê? Que palhaçada é essa? Obrigada, obrigada. Eu estou mesmo com poucos problemas para lidar, por que não mais um? Pode vir, vem. Estou aqui esperando ansiosamente.

— Me contou... É. Ele mencionou algo — digo, meneando a cabeça, pois eu queria fazer parecer que sabia de alguma coisa para que ele abrisse o bico.

Ele respira fundo.

— Ano passado, se lembra do nosso, é... Jantar?

Oh, céus, por que ele vai lembrar essa história? Nós ficamos algumas vezes, eu me apaixonei, combinamos ir a um restaurante, escrevi uma cartinha idiota para ele, ele não foi. Fim. Fim. Fim. Por que continuar e insistir em lembrar o que foi doloroso? Já passou, cara.

— Então. — Ele coça a garganta. — Eu ia te pedir em namoro naquela noite.

Oi? Eu perdi alguma parte da conversa? Me pedir em namoro como? Ele nem foi ao nosso encontro. Ele-não-foi-ao-encontro-e-agora-diz-que-ia-me-pedir-em-namoro. Tá. Estou acreditando.

— Não precisa lembrar isso, Tiago. De verdade. Já estou bem com toda essa história.

— Mas você não sabe de toda essa história, ou sabe? Enfim, por favor, me deixe continuar. Preciso colocar isso pra fora — ele se apressa em dizer. — Eu disse ao Pedro um dia antes que ia te pedir em namoro, e ele... Bem... Ele disse que eu não podia fazer isso.

— O QUÊ????? — grito no meio do parque e espanto algumas pombas que ciscam o chão ao redor de nós.

Algumas pessoas me olham assustadas e tento me conter. Não pelas pessoas, pelas pombas. Claro. Procuro berrar com mais moderação:

— O que você quer dizer com isso?????

Ele se espanta com a minha reação e segura minha mão como forma de me acalmar.

— Isa, o Pedro, ele... Ele é meu amigo de verdade. Gosto daquele cara. E quando ele me disse o que sentia por você, achei que não seria justo seguir em frente... Ele estava perturbado com a possibilidade, eu nunca vi o Pedrinho daquele jeito. Fiquei sem ação mesmo. Pensei em jogar tudo pro alto, mas a que troco? Eu perderia a amizade dele.

— Ele não tem esse direito! — grito novamente. — SIMPLESMENTE NÃO TEM! Eu sofri, Tiago, sofri! Achei que o problema era comigo, que não conseguia dar certo com ninguém. Me senti impotente, fraca, alguém que as pessoas simplesmente descartam quando não estão mais a fim. E agora você me diz que foi porque o Pedro pediu? Ele não pode fazer isso. Ele... Ele é um idiota.

Meu coração bate forte, pois estou tremendo de raiva e me levanto para ir embora. É quando o Tiago segura o meu braço.

— Isabela, desculpa trazer isso à tona agora. Eu achei que ele tivesse te contado. Droga!

— Tudo bem, obrigada por me *esclarecer* isso — digo e saio andando sem nem olhar para trás.

É claro que eu devia saber, não é óbvio? Estava na minha cara o tempo todo, só eu não via. O Pedro está sabotando minha vida amorosa e não é de hoje. Tiago, Gabriel... Que ódio! Ele não tem esse direito, simplesmente não tem. Mesmo que eu tivesse sentimentos por ele (aos montes, não eram poucos), as coisas não seriam como num filme em que eu provavelmente diria: "Oh, sério? Que lindo. Ele foi tão romântico!".

Romantismo uma ova! Não vem com papo romântico para o meu lado porque isso não cola. Eu já decorei todas as falas automáticas que os mocinhos dos filmes dizem: "Sempre foi você, sempre vai ser você". Pera lá, como é que sempre fui eu? Você já nasceu sabendo que era eu? Na maternidade, quando sua mãe te viu pela primeira vez, você pensou "Epa, cadê o amor da minha vida? Será que está no berçário ao lado?". Me poupe.

Não existe isso de "sempre" ser uma pessoa. O que sei sobre o amor é que não temos certeza alguma até conhecê-lo, e quando o conhecemos continuamos em dúvida. O amor é incerto, inconstante, algo que te faz mudar dia após dia incansavelmente. Mas não deixa de ser amor. Então me poupe do drama, vai?

O que o Pedro fez foi um ato egoísta e, tudo bem, confesso que não queria estar namorando o Tiago até hoje. Confesso também que gostei de ter meu relacionamento com o Gabriel arruinado por aquele beijo delicioso. E confesso também que não me arrependo nem um pouco de nada disso. Mas, ainda assim, ele foi um idiota. O que não é nenhuma novidade, o Pedro é um idiota. O problema está em querer que o príncipe encantado seja realmente encantador. Quando, na verdade, ele usa casaco de couro, tem um sorriso irônico maravilhoso e olhos que te leem da cabeça aos pés.

Chego em casa e ligo o computador à espera de que os comentários do blog me animem um pouco. O blog agora conta com 50 mil acessos diários e isso é um pouco... assustador. Claro, fico muito feliz por haver pessoas se identificando comigo, com meus problemas, minhas histórias, faz com que não me sinta tão sozinha em meio a este mundo louco. Mas e quanto àquela ameaça da Marina? Será que ela descobriu alguma coisa? Vou me arruinar se ela me desmascarar para todas as pessoas que conheço, já que não escrevo somente sobre mim, envolvo várias pessoas. E, claro, eu não uso nome de ninguém: faço faculdade de direito e não sou burra. Mas qualquer um que tenha participado de uma das histórias que conto quando ler vai saber a quem me refiro. Droga.

Um e-mail aparece na minha caixa de entrada. O remetente? Editora Âmago. Oi? Mais uma? Acontece que eu sempre recebo e-mails de "editoras". Parece que algumas pessoas sentem o cheiro dos nossos sonhos e gostam de brincar com eles. É sempre a mesma coisa: "Quer publicar seu livro? Pague apenas 10 mil reais e tenha direito a trezentas cópias para vender a seus amigos e familiares". Querido, se eu tivesse 10 mil reais abria minha própria editora, por favor, né?

Abro o e-mail, sem expectativa alguma, e leio:

"Oi, Garota em Preto e Branco, tudo bem? Aqui quem fala é a Roberta, sou editora de livros da editora Âmago e uma leitora do seu blog. Não sei quem é a pessoa por trás do blog, mas gostaria muito de conhecer.

Você tem interesse em publicar um livro? Todo o pessoal aqui da editora ficou muito animado com essa possibilidade. Vimos seu último desabafo e nele você mencionava algo sobre um livro e os comentários dos seus leitores foram muito positivos! Espero sua resposta.

Qualquer coisa, meu telefone é (021) 6756-5454.

Atenciosamente,

Roberta — Editora de livros nacionais — Editora Âmago."

Isso está mesmo acontecendo? Deve ser uma pegadinha. Editora Âmago, editora Âmago... Por que esse nome soa tão familiar?

Jogo no Google e a resposta vem rápido. Claro! Olho para a minha estante de livros e noto que quase todos são da Âmago. Trata-se, simplesmente, de uma das maiores editoras do Brasil, que já publicou vários sucessos pelos quais sou apaixonada.

Mentira! Isso é mentira, óbvio que é. Releio o e-mail. Roberta, editora de livros nacionais... Meu Deus. Isso está mesmo acontecendo? Ela diz aqui que viu meu último post, o post em que falo sobre apresentar meu livro ao sr. Mendonça... Se ela soubesse... Nossa!

Passo a mão no telefone e ligo para o número.

— Alô — uma voz aguda do outro lado da linha atende. — Quem fala?

—Roberta? Aqui é a Garota em Preto e Branco—digo, meio insegura. — Você me enviou um e-mail e...

— Oi! Você retornou! Fiquei com medo de que quisesse se manter anônima e de que não retornasse o meu e-mail.

— Ah, sim. Pode me chamar de Isabela, quero dizer, esse é o meu nome.

— Prazer! — diz, entusiasmada. — O que você achou da nossa proposta? Estou bem empolgada, acho que pode dar certo.

— Então, Roberta. Sempre foi o meu sonho publicar um livro... Mas já tive esse sonho despedaçado muitas vezes. Esse livro teria algum custo para mim? O que preciso fazer?

Eu precisava ter certeza de que não teria de pagar 10 mil reais.

— Claro que não. Não... Não trabalhamos dessa forma — ela explica. — Você só precisaria aceitar e, claro, escrever. Gostamos muito da linha do seu blog, uma garota desabafando sobre seus problemas. Pensamos em um livro nesse estilo. Você teria interesse, disponibilidade? Como estão as coisas por aí? Você estuda, trabalha?

— Eu faço faculdade de direito, não sou a aluna mais empenhada da classe, mas estou lá. E trabalhava em uma editora, mas acho que não mais. Então... sim! Claro que tenho interesse e disponibilidade.

— Podemos marcar uma reunião aqui no Rio de Janeiro para conversarmos melhor? — ela pergunta.

— Está marcado.

— Te mando o endereço por e-mail. Um beijo e até mais! Não vejo a hora de te conhecer. Foi um prazer falar com você.

— Com você também. Até lá, Roberta.

Desligo o telefone ainda sem acreditar no que está acontecendo. Passo a vida inteira escutando que depois de uma tempestade vem o arco-íris. Mas, no meu caso, depois de um tornado que deixou muitos feridos veio não só um arco-íris, mas centenas de duendes coloridos dançando e cantarolando minhas músicas favoritas.

Acho que nunca senti tamanha felicidade como agora. Será que isso é possível? Corro para a cozinha, onde minha mãe faz o jantar.

— Mãe! Mãe! Mãe! Você não sabe o que aconteceu!

Ela para o que está fazendo, limpa as mãos no avental e me olha interrogativa.

— O que foi, minha filha? O que aconteceu?

Eu berro, enquanto saltito em volta dela que nem criança:

— UMA-EDITORA-ACABOU-DE-ME-LIGAR-PERGUN-TANDO-SE-QUERO-ESCREVER-UM-LIVRO! MÃE, EU VOU SER UMA ESCRITORA!!!!!

— Meu amor, eu... Isso é verdade? Você tem que checar se essa editora é de confiança, se não estão te enganando. E como eles te encontraram? Não faz sentido.

Respiro por um momento. Minha mãe não sabe do blog, mas o que importa agora?

— É que tenho um blog na internet onde faço meio que um diário sobre a minha vida. E ele, bem, está sendo bem acessado... — Dou uma pausa. — Já tenho 50 mil acessos por dia.

É claro que ela sabe que esse é um número espantoso para uma iniciante anônima. Minha mãe cuida da parte de marketing da sua empresa, ela está sempre em busca de novidades para se manter atualizada por esse mundo da tecnologia.

— Filha! Meus parabéns. Fico muito orgulhosa de você, sei que sempre sonhou com isso. Mas vamos devagar, sim? Não conte a ninguém antes que tudo se confirme.

Ela está certa. É claro que o meu lado fofoqueira quer gritar a todos os cantos do mundo a minha felicidade, mas se tem uma coisa que aprendi é que a inveja não tem sono leve. Ela nunca dorme.

Engraçado como dias inesquecíveis começam exatamente iguais aos dias normais. Você acorda, escova os dentes, toma um banho, abre o e-mail e BUM. Sua vida muda para sempre. E você nem tem tempo de colocar uma música como trilha sonora. Alguém podia ter me avisado que no dia tal eu ia receber um e-mail importante — quem sabe eu não teria arrumado o cabelo ou pedido a minha mãe que tirasse uma foto desse instante tão marcante? Mas não. A vida gosta de surpreender e quem sou eu pra reclamar de uma surpresa dessas?

Quer dizer que eles queriam conversar sobre um possível livro meu? Nossa! Tudo bem que escrever um livro sempre foi o meu sonho, mas a gente nunca acha que vai realizar o maior sonho da vida aos vinte e poucos anos, né? Nem mesmo que será capaz de realizar tal sonho. Essa mania do ser humano de se menosprezar pega, viu?... Mas não tive escapatória, tive que encarar a realidade e viajar alguns quilômetros para conversar sobre esse sonho. E resolvi deixar as pretensões em casa e viajar sem elas dessa vez. De decepções, já me bastavam as amorosas.

Passei a viagem inteira cantarolando o álbum novo do The Script, *No sound without silence*. Gosto de escutar músicas no último volume e cantar como se o mundo fosse acabar em uma melodia estrondosa. O bom é que meu gosto musical é parecido com o do meu pai, então, enquanto eu fazia a primeira voz (bem desafinada, por sinal), ele era o backing vocal.

Eu e meu pai sempre fomos parceiros em tudo na vida. Quando contei sobre o blog, sobre a proposta da editora, ele nem sequer pestanejou ou desconfiou. Apenas me abraçou forte, com os olhos cheios de lágrimas e disse que queria me acompanhar nessa viagem.

Lembro-me de ter chegado à editora Âmago e dito ao meu pai:

— Nossa, eles podiam me dar todos esses livros aí, né?

Eles têm uma prateleira na recepção com uns cem livros, paraíso de qualquer leitor. E meu pai — mais nervoso do que eu — respondeu:

— Para de bobeira, menina. No momento, você tem que pensar no seu livro.

Tá bom, pô. Só queria descontrair o meu estômago, que não parava de revirar. Ou deixar de lado a minha mania de mexer no cabelo quando fico nervosa. Mas, entendi, ele estava mais tenso que eu. Pai é pai, né?

Uns dias antes da reunião, a Roberta me disse que eu tinha uma tarefa a cumprir: escrever meu projeto de livro e enviar para o chefão da Âmago aprovar. Já disse que odeio esse verbo, aprovar? Sofri a vida inteira para ser aprovada na escola. Depois para ser aprovada pelas amigas. Um pouco mais tarde, pelos namorados. Até hoje tento conquistar a aprovação dos meus pais. E agora precisava de aprovação para escrever meu livro?

Nem é necessário dizer que fiquei dias e noites escolhendo os textos que colocaria nesse projeto. É difícil, porque amo todos os meus textos como uma mãe ama os filhos. E depois de ler cada texto umas dez vezes, achei todos ruins. Horríveis. Péssimos. Espero que J.K. Rowling já tenha tido uma crise dessas. E que o sr. Mendonça não esteja certo do que disse. Depois das noites sem dormir e de ataques de drama, concluí o projeto e me preparei para a viagem. Pensei: seja o que Deus quiser e que Ele queira o mesmo que eu, amém.

A reunião? Sei lá. Acho que foi boa, saí de lá atordoada. Sabe quando você está em um lugar, mas na verdade não está? Foi mais ou menos assim. Eles diziam algo como "Muito bom!", "Autêntico", "Original...". E eu só olhava ansiosa para os lados sem entender nada e apertava forte a mão do meu pai por baixo da mesa. Devo ter parecido um animal assustado. Mas acontece que meu projeto foi aprovado. Assinei o contrato com a Âmago. E, finalmente, ia escrever o meu livro. Palavras que expliquem o que senti? Não existem.

Sabe, escrever um livro é mais do que um sonho. E esse sonho não é só meu, é também do meu pai. Só de pensar nisso me emociono. Meu pai foi a pessoa que mais incentivou minha paixão pela leitura. Não que ele precisasse forçar, porque acho que já nasci com isso. Mas lembro que, quando era pequena, toda semana ele trazia uma caixinha de papelão com aqueles livrinhos infantis que toda criança já teve. Eu devorava em poucas horas. Quando cresci, começamos a compartilhar nossos gostos e livros. Eu lia e passava para ele ler em seguida. Depois, ficávamos horas falando da história. É como se fosse uma coisa "nossa", sabe? A nossa leitura.

Finalmente, eu ia ser uma daquelas pessoas que ficam na última página do livro. As mesmas pessoas que tanto me inspiravam, que aos meus olhos eram ídolos. E isso é inexplicável. De verdade.

Sempre gostei de destoar da multidão. Se todos fossem pegar o caminho da esquerda, eu pegaria o da direita. Se todas as meninas gostavam do mesmo garoto, eu procurava beleza nos outros que ninguém notava. Se havia alguma menina na sala com quem ninguém conversava, eu queria ser amiga dela. Eu vim ao mundo para fazer diferença, não para fazer o mesmo que muitos já fazem todos os dias.

A questão é: que diferença eu posso ser para o mundo? Será que vou conseguir deixar minha marca em letras grandes de néon? Quando mais novos, sempre pensamos "um dia farei tal coisa". Um dia, um dia... E os dias passam. Meses. Anos. E esse "um dia" é o agora. Chegou a sua hora. Você está preparado? Está preparado para finalmente dar um passo adiante?

Sabia que estava. Porque assinei o contrato com a editora. Eu... Assinei o contrato com a editora. Eu... Assinei! Meu Deus, isso estava mesmo acontecendo na minha vida? Sério? Era inacreditável. Tudo por causa de um blog besta no qual eu desabafo os meus problemas, que, olha, não são poucos. Como eu ia imaginar que de uma página na internet surgiriam tantos amigos espalhados pelo mundo e tantos sentimentos parecidos? Se antes eu achava que minha vida era uma bagunça, hoje sei que a vida da maioria das pessoas também é. Elas só despistam melhor.

Ai, que vontade de voltar lá na editora Universo e esfregar meu contrato na cara do sr. Mendonça! Viu? Viu? Pessoas querem ler, sim, sobre os desabafos de uma garota insegura, descontrolada, apaixonada e louca. Pessoas querem ler sobre pessoas reais, fugir um pouco do mundinho perfeito que muitas vezes encontramos nos livros. Pessoas querem ler o que eu escrevo! No momento, eu poderia levitar e sair dançando por aí.

Passei o fim de semana organizando as ideias. Estava muito empolgada! Sobre a novidade, contei apenas para a Amanda, já que para contar ao Pedro eu teria de explicar por que havia sido convidada para escrever um livro. Ou seja, teria de contar sobre o blog. Ou seja, ele leria tudo que escrevi sobre ele esse tempo todo (e não eram poucas coisas!). Então eu não estava preparada, ainda não. Isso podia esperar.

Quanto àquilo que o Tiago me contou, eu queria ouvir os motivos da boca do próprio Pedro. Às vezes machucamos as pessoas sem saber que as estamos machucando. Achamos que ao prendê-las bem juntinho de nós, estamos protegendo. Mas é como dizem por aí... As pessoas precisam ser livres.

Domingo à noite.

>   Isabela: Pê, tá aí?
>   Pedro: Sempre estou.
>   Isabela: Preciso te contar uma novidade!
>   Pedro: Fala logo, sem suspense.
>   Isabela: Amanhã na aula te conto... Você já está em Juiz de Fora, né?
>   Pedro: Não! Não! Você não pode fazer isso comigo...
>   Isabela: Ah, posso sim.
>   Pedro: Promete que amanhã vai chegar e me dar um beijo no meio da aula.
>   Isabela: Por que eu deveria?
>   Pedro: Porque você quer.

Isabela: Tá.

Pedro: Tá que você quer ou tá que você tá encerrando o assunto?

Isabela está off-line.

O Pedro me deixa ensandecida, essa é a maior verdade que eu poderia dizer sobre a minha vida atualmente. Se antes de beijá-lo ele já me tirava do sério, agora, toda vez que me lembro das correntes elétricas que percorreram o meu corpo enquanto ele me tocava, tenho vontade de cair no chão e ficar por ali mesmo, apenas existindo.

Segunda-feira. Hoje acordei mais bem-humorada que de costume. Acho que a reviravolta que aconteceu no fim de semana me inspirou a ser feliz. Tenho a sensação de que posso fazer qualquer coisa, qualquer coisa mesmo. Pular de paraquedas, correr uma maratona, me tornar uma bailarina. Mesmo que eu não queira nada disso (tenho pavor de altura, correr cansa — principalmente se for atrás de alguém — e ser uma bailarina, bem, eu já fui), é legal se sentir invencível às vezes.

Piso na faculdade e noto um burburinho em volta do painel de recados da ala do direito. Fico imaginando se hoje terá um teste surpresa ou se alguém faleceu, como naquela vez que uma menina chamada Celeste sofreu um acidente e a aula foi cancelada em respeito a ela. Nunca vi tamanha movimentação assim. Eu me aproximo um pouco mais e fico na ponta dos pés para ler o que está escrito nos cartazes. Droga. Sou baixinha demais.

As pessoas ao meu redor percebem que estou ali e, como num filme, começam a dizer coisas que não consigo entender direito enquanto leem algo nos celulares. Elas apontam, riem e chego à conclusão de que: 1) fiz cocô nas calças; 2) aqueles cartazes falam alguma coisa de mim; 3) só pode ser armação da Marina. Quando penso nessa última possibilidade, meu corpo congela, sinto um frio percorrer a espinha e percebo que há algo de errado ali. Empurro as pessoas que estão na minha frente e, enquanto tento passar, tropeço e caio. Ali mesmo, no meio de todas aquelas pessoas. Levanto sem sentir dor alguma e alcanço finalmente os cartazes.

Num deles está escrito: "Acessem o blog www.garotaempretoebranco.com.br e se divirtam!" Como assim? Ela não me expôs. Ela apenas mandou as pessoas acessarem o blog. Tá, ok, ok. Respiro. Pego o celular da bolsa e atualizo a página do blog. Mas que p... é essa? Merda! Merda! Mil vezes MERDA. Eu não escrevi isso, NUNCA. Isso não está nem bem escrito, por favor. Como as pessoas podem imaginar que eu escrevi uma coisa dessas? Anjo da guarda, por favor, se você existe esta é uma boa hora para me resgatar.

Olho para os lados à procura de algum rosto amigo. Nenhum. Agora as pessoas estão gritando em uníssono alguma coisa para mim. Meu Deus, meu Deus. Isso não pode estar acontecendo, não, não agora... "Mentirosa", "Fofoqueira", "Cuida da sua vida!", "Blogueira de merda". Entro em desespero, o que vou fazer? Ah! O banheiro do terceiro andar. Claro. Lá é o meu esconderijo secreto na faculdade. É pra lá que vou sempre que alguma coisa acontece ou quando eu simplesmente quero matar aula.

Tento passar por todas as pessoas que me olham como se eu fosse uma criminosa que assassinou uma família de duendes fofos, e elas me seguram pelos braços. Minha bolsa cai e eu não olho para trás. Continuo correndo. Isso está acontecendo mesmo? Me belisco. Está. Onde as pessoas estão com a cabeça? Sinceramente? Que mal eu fiz com o meu blog? Nele eu falo sobre *a minha vida*. E, tudo bem, às vezes eu conto uma coisa ou outra sobre a vida das pessoas próximas a mim, mas é que nunca pensei que isso fosse se tornar tão grande. Ou que isso fosse machucar alguém. E quanto a esse último post, não está nítido que é uma armação? Que foi a Marina que escreveu isso para me ferrar? Poxa. Vamos usar a massa cinzenta, gente!

Nota mental: as palavras podem nos fazer felizes na maior parte do tempo, mas olha, agora sei que elas também podem ferir.

Sinto uma dor no peito. Droga. E se o Pedro ler tudo o que escrevi? O Gabriel? Até a Amanda? Será que eles ficarão com raiva de mim? Não pelo último post, porque, claro, eles saberiam que não fui eu que escrevi. Mas e todos os outros? As histórias, os problemas deles que expus? Eu não queria ir tão longe. Eu queria me manter anônima... Só isso.

Plantei um punhado de erros que se transformaram em consequências. E agora eu tenho que colhê-los, porque eles estão maduros e andando por aí dizendo: "Errou? Agora aguenta!". Avisto a porta do banheiro e meu coração dá um salto. Vamos lá, Isabela, só mais um pouquinho. Corro mais rápido, abro a porta e me sento, desajeitada, na tampa da privada.

CAPÍTULO 10
O meu forte não é falar. É sentir

⟨ ⟩ ↻ | http://garotaempretoebranco.com.br

⚠ 404
Página não encontrada.

Esta página está temporariamente fora do ar.

Foi ela. Ela que apareceu no banheiro para me resgatar.

Nataly.

Em que mundo sua inimiga diz que ela é tudo que você tem no momento? Bem, no meu mundinho cor-de-rosa-queimado-em-chamas.

Ela olha para o meu estado, boquiaberta, tenta dizer alguma coisa e desiste. Ajeito-me, pego um papel-toalha para secar o sangue que sai do machucado no joelho e olho para ela.

— E aí, satisfeita? Teve sua vingança? — Fungo um pouco, estou à beira das lágrimas.

— Isabela, eu nunca quis isso. Juro!

Ela se senta no chão, ao meu lado, e explica:

— Eu apenas contei para a Marina o que aconteceu e ela disse que tinha uma carta na manga. Eu nunca ia imaginar que era isso. Mas você sabe, ela tem uma implicância com você. E agora mais do que nunca, já que ela está com o Gustavo...

Ela parece estar dizendo a verdade, quero acreditar nela. Por qual motivo ela sairia do prédio da odontologia e viria até aqui atrás de mim? É longe à beça!

A não ser que ela tenha vindo para ver a minha desgraça. É. Com certeza foi isso. Só que ela se arrependeu no meio de tudo.

— E como você descobriu que eu estava aqui?

— O Pedro veio correndo atrás de você. — Meu coração dá um salto. — Então eu pedi a ele que me dissesse onde você estava porque isso era minha culpa e eu precisava resolver com você. *Sozinha.*

Quero perguntar: "E ele? Ele está com raiva de mim? Ele ainda gosta de mim? Onde ele está agora?" Argh. Mulherzinha. Foco, Isabela, FOCO.

— Ah, claro — me limito a dizer. — Quer dizer que foi a Marina que armou tudo isso?

— Sim... ela tem um primo hacker e pediu a ele que descobrisse o nome de quem estava registrado no domínio da Garota em Preto e Branco na internet. Não é muito difícil descobrir essas coisas, você sabe...

Ela dá uma risadinha amigável e eu sorrio de volta.

— Depois a Marina pediu que o primo descobrisse a senha e fez aquele post maldoso.

— Acho que não fui muito esperta pra esconder meus rastros — admito. — Na próxima, usarei uma identidade falsa, um cartão de crédito falso e uma peruca rosa para escrever no blog. Aliás, você não tem uma peruca aí na sua bolsa, não? Seria uma boa para eu conseguir escapar com vida da faculdade.

Ela se diverte com meu comentário e, pela primeira vez na vida, sinto que poderíamos, sim, ser amigas. De repente, ela tira da sua bolsa meus pertences — celular, carteira, batom e um livro que sempre carrego comigo — e me devolve tudo. Sorrio mais uma vez.

— Obrigada. Imagino que não deve ter dado para salvar a bolsa.

— É, não deu. As pessoas só estão querendo um pouco de novidade na vidinha miserável delas, fica tranquila. Isso logo passa. As provas também estão chegando, falta só uma semana. Já, já, ninguém mais vai se lembrar de você ou do seu blog.

— Ah, vão. — Olho para ela, agora séria. — Nataly, eu fui convidada para escrever um livro por uma das maiores editoras do Brasil.

— Mentira! É sério? É sério?

Ela me abraça um pouco sem graça e sem jeito. Depois pausa por uns segundos e diz:

— Parabéns. De coração, parabéns. Então eu acho que as pessoas vão continuar a se lembrar de você e do seu blog.

— Pois é. E você viu a Amanda por aí? — pergunto.

— Ela está gritando com todo mundo lá embaixo. Tirou todos os avisos que tinham o endereço do seu blog, disse que ia levar na reitoria da faculdade e dar um jeito de punir o culpado. — E dá de ombros como se duvidasse de que isso aconteceria.

— Essa é a Amanda.

Ficamos em silêncio por alguns minutos, apenas ouvindo a respiração uma da outra. Foi bom a Nataly ter vindo em meu socorro, só assim meu coração encontrou um pouco de paz no meio de tanta turbulência.

Isso me faz acreditar nas pessoas.

Súbito, ela me olha com as bochechas coradas de vergonha.

— Isa, posso te confessar uma coisa?

— Claro, manda ver. Depois do que aconteceu hoje, nada mais me abala.

— Quando eu e o Pedro começamos a ficar, ele me disse que tinha outra pessoa em seu coração. Eu não liguei, só queria ficar com ele. Não sei se era para te machucar ou porque ele era um gato. Mas, no fim, me apaixonei. E doía saber que ele não sentia o mesmo por mim.

Fico sem saber o que dizer. Como assim? O Pedro tem outra pessoa no coração? Essa pessoa sou eu? E, se sim, por que diabos ele não me disse isso logo e acabou com toda aquela palhaçada de não conversar comigo? Era só dizer. Será que é tão difícil assim?

É.

— Eu não sei o que dizer, Nataly.

— Tudo bem, não precisa dizer nada. Só queria que você soubesse que eu entendo, entendo mesmo. Vocês dois.

— Nataly... Nem eu entendo nós dois — digo isso e sorrio com o canto da boca. — E obrigada por entender, porque eu fui uma vaca com você.

— Tem outra coisa que não te contei... — Ela de repente parece ansiosa, como se estivesse com medo de me contar alguma coisa. — O Gabriel, ele... Bem... — E ela me olha com os olhos arregalados.

— Diz logo, Nataly! O que tem o Gabriel?

— Acho que a Marina mandou mensagem para ele ontem à noite para, você sabe, ele vir até aqui hoje ver o que "ia acontecer". Fazia parte do pequeno show dela.

Aí eu me desespero. Meu Deus. Meu Deus. Meu Deus. O Gabriel está aqui? Ele viu tudo isso?

— E ele veio.

Ela para repentinamente e eu prendo a respiração.

— Isabela, ele partiu pra cima do Pedro. Eles brigaram e saíram daqui bem machucados... Foi horrível. Foi feio mesmo.

Sinto um soco no estômago, fecho os olhos e tento contar até dez. Um, dois, três, quatro, cinco... Caramba. Que vontade de vomitar! Corro até o reservado mais próximo e coloco todo o meu café da manhã para fora. Isso não pode estar acontecendo na minha vida. Simplesmente não pode. *Alô, garçom, uma máquina do tempo aqui, por favor?* Estou no chão. Nataly me ajuda a levantar, preocupada, e diz que vai ficar tudo bem. E penso comigo mesma: será?

Se eu pudesse deixar um conselho para a posteridade, sabe, só um, com certeza seria: não se preocupe. Tudo vai dar certo. Ou errado. E o errado às vezes é o certo. A vida tem maneiras estranhas de nos mostrar do que precisamos e, muitas vezes, não precisamos daquilo que acreditamos precisar. Compliquei demais?

Você vai se decepcionar com as pessoas que mais admira. Elas vão virar as costas quando você mais precisar, acredite. Já aconteceu comigo, com sua mãe, sua vizinha, e tenho certeza de que você é a próxima. Pessoas de verdade estão cada vez mais raras. E procurar essas pessoas não é o mesmo que procurar uma roupa do seu tamanho num shopping lotado. Você até pode achar uma roupa que sirva, mas ela precisa durar a vida inteira, entende? Você vai tirar notas ruins mesmo após noites insones em cima dos cadernos e sem ter faltado a uma aula sequer daquela matéria. Sua mãe, um dia, vai chegar cansada do trabalho e dizer que você não faz por merecer a vida que tem. Vai gritar sem motivo algum e depois agir como se nada tivesse acontecido. Normal.

Também vai ter o dia em que você vai pegar seu namorado beijando sua melhor amiga enquanto você vai ao banheiro. Ah, não acredita? Pois acredite. Nesse dia você vai virar alguns drinques e fazer feio na frente de toda a cidade. Vai fingir não se importar e sentir um nó na garganta que não se desfaz por nada. No fim da noite, vai ser o momento de chorar abafando o som com o travesseiro. Mas, depois de algum tempo, você vai ficar bem, garanto.

Preciso avisar também sobre o dia em que você vai se apaixonar perdidamente por alguém e se esforçar muito para que esse alguém seja feliz ao seu lado. Vai dar seus melhores sorrisos, vestidos e versos. E, adivinha? Não vai ser valorizada. Vai insistir e desistir por dezenas de vezes, o que é natural, porque não gostamos de "deixar para lá" e sempre achamos que ainda há uma solução. Bem, sinto dizer: alguns problemas não querem ser solucionados.

Você também pode encontrar alguém que seja perfeito para você e, numa certa hora, se dar conta de que o imperfeito sempre a atraiu muito mais. Fazer o quê?

Você vai ser demitida do trabalho a que tanto se dedica, vai ouvir ofensas de quem nem te conhece, vai ser maltratada no seu restaurante favorito, vai ser despejada do apartamento, vai tomar um tombo no meio da rua, vai pintar o cabelo e se arrepender, vai quebrar o celular que nem acabou de pagar, vai ouvir desaforo da sogra, vai ficar doente e ter que ser internada, vai descobrir que aquela amiga "tão querida" nunca quis o seu bem, vai passar um feriado em casa enquanto seus amigos se divertem na praia, vai dizer um "eu te amo" e escutar apenas um "eu também", vai descobrir que é impossível fazer sempre o certo e agradar a todos, vai perceber que erros não passam despercebidos e que as pessoas vão sempre julgar. Vai se contradizer, quebrar a cara, o coração, a alma. Mas vai entender que, no final, tudo tem um propósito.

Descobrir que somos todos estrelas. Estrelas que ao se verem sem o combustível necessário para a sua "vida" explodem em milhões de partículas. Essa explosão é violenta, drástica, mais conhecida como supernova. A morte da estrela é, na verdade, um novo início. Ela forma novas estrelas, talvez com um brilho mais fraco, mas que continuam a coexistir e a iluminar o infinito do universo. Gosto de pensar que sou uma estrela. Assim, nunca me esgotarei, mesmo após grandes explosões.

Coisas que preciso resolver:

1) Arranjar uma forma de mostrar às pessoas que eu não sou essa fofoqueira babaca que tem um blog maldoso na internet
2) Resolver meus problemas com o Gabriel
3) Resolver meus problemas com o Pedro

Ao chegar em casa, deito na minha cama e choro. Começo um choro tímido, apenas algumas lágrimas, e no fim elas dão lugar a soluços prolongados que se estendem por meia hora. Eu não sou forte, não sou. *Sou?* Tenho vontade de desistir, de me esconder em um lugar quentinho até o fim das férias.

Olho o celular em busca de novas mensagens:

Amanda: Amiga, aquela Marina vai pagar por isso, simplesmente vai! Isso não vai ficar barato. Você sabe que eu sempre vou estar ao seu lado, sempre. Nunca tive dúvidas do seu potencial e não vejo a hora de você esfregar seu livro na cara de todas aquelas pessoas que te julgaram hoje. Te amo! Quando ler esta mensagem, me responde e me diz se você já está melhor. PS: A briga dos meninos foi feia hoje. Estou preocupada. O Pedro ainda não me deu notícias, ele já te mandou algo?

Nataly: Amei nossa conversa hoje, tirei um peso de cima das minhas costas. Já disse para a Marina parar de falar coisas horríveis de você e não quero mais contato com essa garota. Fica bem, e o que precisar pode contar comigo!

Pedro: Preciso de você.

Gabriel: Precisamos conversar.

Bernardo: Isabela?? Me dá notícias. Você já tá em casa? O que foi isso na faculdade hoje? Caraca. Não entendi nada! Que merda é essa de blog? Me responde! Tô preocupado, sua chata.

Mamãe: Filha, fiquei sabendo que houve uma confusão na faculdade hoje. O seu irmão me contou. Você está bem? Vou chegar tarde do trabalho. Fique bem, te amo.

Resolvo fazer um ato de coragem. De todas essas mensagens, respondo apenas ao Gabriel dizendo que vou à casa dele para conversarmos. Eu não posso fugir para sempre, é hora de encarar as consequências. A vida não funciona dessa forma, entende? Você não pode simplesmente partir o coração de alguém e sair andando em direção oposta, como se isso não tivesse te afetado. A outra pessoa merece uma explicação, merece um carinho, merece ouvir da sua boca aquilo que aconteceu. Mesmo que, para você, isso seja difícil. Nunca é fácil admitir em voz alta nossos deslizes. Gostamos de pensar que estamos sempre certos e que, se erramos, é porque tivemos motivos.

Ao chegar à casa dele, seu pai abre a porta e eu o cumprimento com um aceno de cabeça. Não sei por quê, mas encarar aqueles olhos azuis dele tão parecidos com os do Pedro me dá nos nervos. Talvez por ele representar exatamente o oposto do Pedro, alguém que traz dor e sofrimento a uma mulher, enquanto o Pê só me faz feliz. E me irrita.

— Vou deixar vocês dois a sós. Se precisarem de algo, estou no bar da esquina — Thadeu diz, fechando a porta atrás de mim.

— Ele ainda... É... Bebe muito? — não me contenho e pergunto.

— Não. Só quando está estressado com o trabalho — Gabriel responde e dá de ombros.

Observo seu rosto, agora iluminado pela luz baixa da sala. Ele está com os dois olhos roxos e um corte na boca que parece precisar de uns pontos. O rosto tão angelical deu lugar a um semblante melancólico, como se ele estivesse drogado ou algo do tipo. Congelo.

— Satisfeita? — ele aponta para os machucados. — A responsável por tudo isso é você.

— Satisfeita? Estou muito contente, estou feliz mesmo. Fiquei chateada porque nenhum de vocês dois foi parar em uma cama de hospital. Era o que eu esperava, na verdade — sou sarcástica.

Que Gabriel é esse que eu nunca conheci? Ele passa a mão nos cabelos, inconformado, e se dirige a mim, gritando:

— Se você tivesse me contado antes, mas não! Deixou que a faculdade inteira soubesse através daquele seu bloguezinho... Eu te amo, Isabela. Te amo, DE VERDADE. E o que você fez comigo? Escolheu o meu irmão!

Os olhos dele estão cheios de lágrimas e de raiva. Talvez eu mereça isso.

— Deixa eu ver se acompanhei legal aqui... Tá. Eu errei. Errei *mesmo*. Mas eu *não escolhi ninguém*. Você acha que não me senti um lixo por isso? Pois eu me senti. Você é um garoto fantástico, Gabriel. Acha que é fácil encarar essa sua perfeição logo pela manhã dizendo: *"Oi linda, sei que você está com olheiras enormes, mas eu te amo mesmo assim"*? Caramba! É difícil se relacionar com alguém que te mostra o tempo todo que você é um poço de imperfeição e erros. Porque eu sou. Sei disso, pisei na bola, na bosta do cavalo, caí de ponta-cabeça na areia movediça. Mas o que posso dizer? Não sou a responsável por você ser um idiota que acha que brigar e bater nas pessoas é a solução. Simplesmente NÃO SOU.

— Não é a solução mas foi o que tive vontade de fazer no momento — ele responde, seco. — Nunca vou conseguir ser amigo do meu irmão, nunca! Desde o início ele estava ali me sabotando com suas piadinhas sarcásticas e risinhos de canto de boca. Você acha que eu não percebia? Desde o momento em que vi vocês dois juntos eu soube que aquilo era uma disputa da parte dele. Mas achei que isso não fosse interferir no que sentíamos. Poxa, Bela, quando foi que você soube que eu não era suficiente?

Engasgo. Quando? Talvez nunca tenha percebido isso, porque a verdade é que você é suficiente, sim, Gabriel. Você só não faz meu coração vibrar. E eu só soube disso quando quase fui eletrocutada ao beijar o Pedro.

— Gabriel, para com isso. Não tem essa de que você não é suficiente. Você me fez feliz, me trouxe uma tranquilidade que eu precisava naquele momento da minha vida. Vai dizer que não? Por você fiquei meses sem conversar com o Pedro, abri mão de uma amizade que para mim era muito importante.

Chego mais perto dele, agora quase posso sentir sua respiração e ainda digo:

— Você tem que acreditar em mim. Não te machuquei intencionalmente, eu não sou assim, não sou.

No momento sinto o choro na garganta e me contenho.

Eu não era assim, qual é? Nunca fui dilacerante, isso simplesmente não fazia parte de quem eu sou. Até porque quem tinha o coração dilacerado, bem, era sempre eu.

Ele afasta uma mecha do meu cabelo.

— Eu sei, Bela, eu sei. Mas a verdade é que você fez isso. Mesmo que não tenha sido intencional, está feito. E pelo rumo que a conversa está tomando, provavelmente faria de novo. Me desculpa por começar a briga... Mas provavelmente eu também faria de novo.

— Me desculpa também. Você fez tudo para me fazer feliz e o que eu fiz? — Dou um sorriso forçado. — Só quero que você saiba que eu fui feliz ao seu lado e que tudo o que aconteceu não foi culpa somente do Pedro. Foi minha também.

Ele me olha como se duvidasse.

— Sim, eu sou culpada – repito. — Não deveria ter te arrastado pro meio disso.

Ele anda em círculos na sala e fico apreensiva com o próximo passo que ele vai dar.

— Isabela, eu... Nós não podemos mais nos ver. Por favor, vá embora — diz isso sem nem olhar na minha cara.

Eu seguro seus braços e imploro:

— Gabriel, eu só preciso que você me desculpe pelo que fiz. E então eu sumo da sua vida pra sempre.

Ele se desvencilha:

— Não consigo, não dá. Isabela, vá embora.

— Tudo bem. Quando você se sentir bem para conversar sobre isso, não hesite em me procurar.

Vou andando em direção à porta.

— Ah, e só mais uma coisa...

Ele chega perto de mim apoiado na porta, perto o bastante para que eu sinta o seu perfume amadeirado, e me encara com os olhos castanhos profundos:

— Eu nunca vou me cansar de imaginar como teria sido se não existisse o Pedro entre nós.

— Não consigo imaginar como isso poderia ser — confesso.

— Infelizmente, por mais que eu faça força, nem eu.

E fecha a porta na minha cara.

É isso. Colocamos um ponto final nesse pingue-pongue da vida. Ninguém tem o direito de manter duas pessoas reféns de um sentimento, mesmo que isso custe algumas lágrimas e umas palavras duras de ouvir. Eu tinha ensaiado mil diálogos na frente do espelho e em todos eu parecia uma megera convencida. "Ai, o problema sou eu. Nhe-nhe-nhe." Sei que o problema sou eu, mas dizer isso em voz alta em nada alivia a outra parte. Por isso eu apenas disse a verdade. E a verdade é que eu errei.

Acho engraçado que quando escutamos histórias sobre o relacionamento alheio em mesas de bar, somos todos juízes. Apontamos o dedo, queremos julgar, ditar qual seria a melhor punição para aquele que errou. Mas a vez de ser o réu chega para todos e que jogue a primeira flor (não gosto de pedras) quem nunca errou. Pior ainda quem nunca errou nem disse para si mesmo que erraria de novo. Quantas vezes fosse preciso.

Alguns erros são erros somente em relação a outras pessoas, mas para nós eles podem ser uma atitude necessária que, de repente, dão sentido à vida.

Terminar um relacionamento é ser sincero consigo mesmo e com o outro. É desistir de um sentimento que há muito estava falho, mesmo que vocês tenham feito planos juntos. Mesmo que você tenha sonhado participar da festa de formatura dele e talvez tenha até pesquisado na internet com qual vestido iria. Terminar um relacionamento é dar um giro de 360 graus na sua vida, é admitir para si mesmo que — de novo! — não foi dessa vez.

Enquanto dirigia para casa, meu telefone tocou. Era alguém do jornal mais importante da cidade. Pelo que parecia, eles ficaram sabendo através da minha editora que eu publicaria um livro e queriam fazer uma entrevista comigo. Súbito, meu corpo se encheu de esperança e me senti como naquela música "Tudo azul", do Lulu Santos. *Tudo bem, tudo zen, meu bem.* Aí estava a resposta que eu precisava para dar a todas as pessoas que me acusaram mais cedo.

Eu não era apenas uma fofoqueira sem ter o que fazer, não. Eu tinha sonhos e estava lutando por eles. Disse a mim mesma que me tornaria uma escritora e aqui estou eu, respondendo à minha primeira entrevista! Daqui a dois dias ela será publicada na primeira página do jornal e eu estarei em paz com a minha consciência.

Quando estou arrumando minha escrivaninha (céus!, como eu conseguia colocar tanta coisa em cima de uma simples mesa?), meu pai entra no quarto.

— Filha, vim saber se você está bem. Fiquei sabendo o que aconteceu na sua faculdade hoje... — Ele se senta na minha cama e brinca com meus bichinhos de pelúcia que estão ali amontoados. — O sr. Coelho ainda existe? Achei que você tinha dado para doação.

Dou uma risada para ele.

— Eu tirei da sacola de doação sem que minha mãe percebesse. Estou bem, pai. De verdade.

— Tem certeza? Não quero que você deixe de se expressar por medo do que as pessoas vão pensar. Nunca. Ouviu bem?

— Ouvi, sim, senhor. Vou botar a boca no trombone, começando agora mesmo. — Abro o notebook e simulo que vou começar a escrever algo. — O que dizer da nossa vizinha? Hum... Trai o marido às quartas-feiras quando ele sai para assistir ao futebol.

— Isabela! — Ele puxa o notebook da minha mão, preocupado. — Também não é assim.

— Eu sei, pai. Só estava brincando! Palavra de escoteiro: só usarei as palavras para o bem.

— Esta é a minha menina.

Ele abre um sorriso e me abraça. E acrescenta:

— Você já esteve com o Pedro? Ele veio aqui em casa mais cedo procurando por você.

Ele veio até aqui procurando por mim? Veio... Ele? Ah--meu-Deus-que-graças-a-Deus-Ele-mesmo-no-caso-está-no--céu-porque-a-Terra-está-uma-loucura.

Acho que é hora de encarar o terceiro problema.

CAPÍTULO 11
Você não precisa de ninguém para continuar vivendo

http://garotaempretoebranco.com.br

Post novo [rascunho]

    Eu sei o que meu coração quer. Desesperadamente. Mas será mesmo? Quantas vezes meu coração não se enganou? Não vagou por estradas que não levavam a lugar algum? E como vou saber o que quero da minha vida aos vinte e poucos anos? Não sabemos. É como confiar em um instinto. Você apenas fecha os olhos, respira fundo e vai.

    Eu sei que estou apaixonada pelo P. Sei porque quando o perdi minha vida perdeu um bocado de sua cor. Eu, uma garota em preto e branco, falando de cores? Pois é. Acreditem.

    Mas será que minha paixão por ele seria maior do que meu amor por mim mesma? :)

Isabela: Vamos nos encontrar?

Pedro: Vamos. Quero te levar num lugar especial.

Isabela: Ah, é? E que lugar especial seria esse?

Pedro: Conhece o Mirante do Cristo?

Isabela: Conheço por ouvir falar, mas nunca fui...

Pedro: Me encontre daqui uma hora lá. Vou estar te esperando junto com a vista mais bonita de Juiz de Fora.

Meu rascunho em preto e branco está começando a ganhar algumas cores. Cores primárias, sim, mas cores vivas. Ao chegar ao Mirante do Cristo, percebo que o lugar está quase deserto, a não ser por ele, Pedro Miller. De costas vejo suas nuances, o casaco de couro, o cabelo preto despenteado, as mãos nos bolsos, os ombros largados. Estremeço. Está um frio do caramba por aqui.

O Mirante do Cristo é um dos pontos turísticos mais frequentados de Juiz de Fora e acho que um dos mais bonitos — se não o mais bonito. Daqui se pode ver quase toda a cidade. O caminho que leva ao mirante é ladeado por um jardim muito bem cuidado, não posso deixar de notar. Sempre achei que esses lugares fossem abandonados, mas aqui não. Flores vermelhas por toda a grama, que, de tão verdinha, parece artificial. Ando mais um pouco e desemboco no mirante, o chão é de ladrilhos e, à minha frente, uma vista esplêndida me espera, paciente.

Emparelho com o Pedro e espero que ele se dê conta da minha presença. Ele se vira para me encarar e avalio que ele não está tão machucado quanto o Gabriel. Apenas um corte no supercílio e um ralado na bochecha.

— Temos aqui um vencedor da briga de galos... — começo a dizer.

Ele me olha sério, e o corte fica mais nítido.

— Eu não gosto de brigas, branquela. Você sabe disso. — Ele brinca com o cigarro na mão, ainda apagado, e me pergunto se ele finalmente está tentando parar de fumar.

— Mas brigou. Patético, se quer saber minha opinião.

— Não quero saber sua opinião — diz isso e dá uma risada.

Viro o rosto para o outro lado.

— Quero saber por que você demorou a responder minha mensagem e não estava em casa quando te procurei...

— Porque eu tinha coisas a resolver antes de te encontrar — digo, atropelando as palavras.

— Ah, é? Então você foi encontrar o príncipe antes de mim? Humm...

Estamos de frente um pro outro. Nos encarando.

— Príncipe? De quem voc... Ah. O Gabriel. Fui, sim. Que mania é essa de chamar ele de *príncipe*? Lembro que quando não estávamos conversando você só se referia a ele dessa forma.

— Ora... Vai dizer que ele não é um príncipe? Aquele que você sempre quis?

Agora os olhos azuis estão fixos em mim. Como se eu fosse uma presa e ele o caçador.

— Eu, é... Ele é. Era. Não sei — me desconcerto.

— Era? Hum... E o conto de fadas acabou?

Ele passa os dedos nos meus lábios e me arrepio toda.

— Tem espaço para um vilão aí? — pergunta.

Eu me afasto dele. Não, não ia funcionar.

— Pedro... — Ele me olha sem entender nada. — Ano passado você pediu que o Tiago deixasse de me ver? Isso é verdade?

Ele passa a mão nos cabelos, suspira, joga o cigarro fora e me encara.

— Pedi. Pedi sim. E, se quer saber, pediria de novo. — Ele coloca a mão no bolso da calça.

— VOCÊ NÃO TINHA O DIREITO! Acha que pode controlar a minha vida? Que pode sabotar meus relacionamentos? Tiago, Gabriel, todos esses fracassos têm um dedo seu! Se não fosse você talvez eu não tivesse sofrido tanto. Já pensou nisso? Seu capricho me custou algumas lágrimas. Você acha justo? Acha que eu merecia isso?

— Não. Por isso me afastei.

Fico sem entender o que ele está querendo dizer. Ele recomeça.

— No início do ano tentei te dizer como eu me sentia, mas fomos interrompidos... Aquele dia, no show. Logo depois vi você com o meu irmão e interpretei aquilo como um sinal de que eu não era o cara certo para você. Qual é?... Eu sou oco, vazio, e dentro de você tudo que eu vejo é amor. — Ele começa a andar em círculos. — Então vi que não podia mais interferir na sua vida amorosa. Tentei te deixar livre para ser feliz com o Gabriel, porque ele era o cara para você. Apesar de todos os problemas com meu irmão, sei que ele te fazia bem, ou pelo menos tentava... Então eu me afastei... Queria te ver feliz. — Ele dá o seu sorriso de canto de boca. — Mas você não estava feliz. Eu não estava feliz. Tudo à minha volta dizia para jogar tudo para o ar e dizer a você como eu realmente me sentia. Eu nunca fui o bonzinho mesmo... Então eu fiz isso aquele dia em Ibitipoca. Precisava saber se você sentia o mesmo que eu. Estava ficando louco já...

Fico sem palavras por uns segundos. É isso? Toda aquela indiferença, a mágoa, tudo isso era porque ele não se julgava bom o suficiente para mim?

— E me desculpa por ter feito o que fiz em relação ao Tiago. É que quando se trata de você, sempre perco a noção do que é certo e errado — ele se apressa em dizer.

Sinto meus joelhos cederem e minha vista se tornar turva. Não, não e não. Isabela, você é forte. Menina de atitude, personalidade. Nada de mocinha indefesa.

— Sabe qual é o seu problema, Pedro?

Ele me encara, curioso.

— Você não se acha digno de ser feliz. Mas você só vai amar quando se permitir. Só vai sentir quando admitir que tem sentimentos. Só vai ser feliz quando, finalmente, perceber que felicidade não é um estado de espírito e sim momentos que acontecem e passam rápido como carros na estrada. E que, ao permanecerem na nossa mente por dias, meses, e até anos, nos fazem felizes.

Ele sorri, tira mais um cigarro do pacote e brinca com ele nos dedos.

— Não é que essa branquela sabe do que fala?

— Eu sempre tenho razão — digo, sorrindo.

Ficamos os dois em silêncio, apenas observando a cidade, agora silenciosa. A vista do morro do Imperador é maravilhosa. Infinitas luzes que se encontram com o céu e agora parecem um só corpo. Como se o céu e a terra finalmente houvessem se unido. Sabe, as pessoas se importam tanto em descobrir se há vida em outros planetas, mas ei, existe vida dentro de você. *Vida*. Pulsante. Inquieta. Correndo pelas suas veias. Você está vivo! E agora? O que vai fazer com isso?

Nasci para voar. Para amar até doer. Para rir descontroladamente. Quero experimentar todas as sensações que o mundo puder me oferecer. Nunca vou me contentar, nunca, nunquinha. Nem se rodar o mundo em um ano dentro de uma Kombi. Nem se conhecer todas as sete maravilhas do mundo. Nem se receber um prêmio de escala internacional. Para mim, não existe essa de linha de chegada, nem de listinha de objetivos. Não quero ser famosa, única, nem aquela que vai ser lembrada nos livros de história. Quero apenas que quando estiver bem velhinha, ao fechar os olhos e falar do passado, possa me lembrar de todos os sentimentos bons que meu coração pôde experimentar. E que isso me arranque um riso frouxo, daqueles que dificilmente saem do nosso rosto.

    Alguns dizem por aí que sou louca. Outros me acham inconsequente. Minha família me acha esquisita, ô, se acha. E o que eu acho? Que nós podemos ser quem quisermos. Eu e você.

    Eu busco me sentir infinita. Uma busca infinita pelo infinito do ser. E provavelmente será assim por todos os dias da minha vida. Não importa que caminhos eu tenha que trilhar para me sentir assim. Simplesmente não me agrada a ideia de ceder à sanidade e viver a vida que todos acham que eu deveria viver.

Olho para a cidade novamente. Estremeço só de pensar que um dia eu talvez não vá morar aqui. Acho que temos dentro de nós aquele sentimento de "pertencer" a algum lugar. Sempre me senti como se pertencesse a esta cidade. E se, no fim das contas, eu estiver errada? O mundo é tão infinito. Mesmo que você tente conhecê-lo por completo, sempre vai faltar um pedacinho escondido de terra.

    Por um momento penso se podemos nos apaixonar por lugares que não conhecemos. E de repente Pedro corta o ar da noite com sua voz rouca.

    — Você sabia que dentro de um buraco negro o tempo passa muito lentamente e pode até parar? — Estremeço. Isso é algum tipo de brincadeira? É a cigana interferindo no cosmos? Por que ele disse "buraco negro"? — As leis físicas dentro de um buraco negro se anulam, por isso. Eles são também muito perigosos, pois sugam tudo que está em volta, sem piedade.

— Gente, mas temos aqui um novo astrônomo a surgir! De onde saiu tanto conhecimento? — brinco.

— Ouvi por aí — ele responde, divertindo-se com o meu comentário.

— De onde saiu essa inspiração para falar sobre buracos negros?

Vamos lá, isso não pode ser coincidência, pois: 1) a cigana me mandou procurar o meu buraco negro; 2) o Pedro fala sobre buracos negros; 3) isso tem que significar alguma coisa.

— Porque quando eu estou do seu lado sinto como se o tempo parasse e eu fosse sugado para dentro de você. Você é o meu buraco negro, branquela.

Cigana maldita! Ahhhhh. Agora eu entendi tudo.

Olho com carinho para ele e penso em dizer: "Você também é o meu buraco negro. Vamos ser felizes para sempre. Acho que vi uma carruagem dando mole ali na esquina da rua debaixo, que tal nos casarmos? Podemos morar em uma casa no campo. Três filhos. Duas meninas, um menino mais velho para cuidar delas. Poderia olhar nos seus olhos azuis para sempre". Mas a Isabela-contos-de-fadas não existe há um bom tempo. E a Isabela de agora é bem diferente.

Ele se aproxima de mim e me envolve em um abraço. Olhamos os dois para o céu e logo desviamos o olhar para a boca um do outro. Sinto sua respiração acelerar, os olhos assumirem aquele brilho intenso.

Então tomo coragem e digo baixinho:

— Pedro, eu preciso de você. — Ele se aproxima ainda mais para me ouvir. — Mas no momento eu preciso do Pedro meu amigo, aquele que está sempre ao meu lado. Não quero misturar as coisas, não agora. Eu acabei de terminar com o Gabriel, feri a Nataly, céus!, você chegou a terminar com a Nataly?

Ele balança a cabeça em sinal de afirmação e se diverte com minha preocupação.

— Eu não te contei, mas fui chamada para escrever um livro por uma das maiores editoras do Brasil. Amanhã, toda a cidade vai saber, vai sair no jornal... Eu estou vivendo muitas emoções diferentes e, de verdade, não quero pisar fora em nenhuma delas. Quero que dê certo.

— Pera, pera, pera. Você vai escrever um livro? — Ele dá uma gargalhada. — Você? Branquela escrevendo livro? Branquela autora? Branquela escritora! Isso é demais, minha linda!

— Não, é? Não estou aguentando mais de ansiedade, medo de estragar tudo...

Mordo os lábios e olho fixamente para ele.

— Vai dar tudo certo. Eu estou do seu lado, sempre estive, sempre vou estar. — Ele segura meu rosto com as duas mãos. — Não se sinta mal pelo que aconteceu, você seguiu o seu coração.

— O problema é esse, seguir o meu coração. Ele é doido, Pê. Doidinho. Não faço a mínima ideia do que ele quer ou do que está dizendo em alguns momentos.

— Faça uma força... O que ele está dizendo agora?

Ele me olha com um ar de convencido.

— Ele está dizendo que devemos ser amigos.

Ele me puxa mais forte para perto de si.

— Então, amigos? — pergunta, com o hálito quente perto do meu ouvido.

— Amigos.

E aí ele me beija.

O amor é engraçado, e pode acontecer de diversas formas. Você pode ajudar a reacender aquele amor de outra pessoa que está fraco, quase apagando. Você pode entregar o seu amor em uma bandeja e não deixar sobrar nada dentro de si... Ou você pode dividir esse amor com alguém e ter dois corações pulsantes em corpos diferentes.

E, se quer saber, apesar de tudo, no momento eu queria o amor todinho para mim. Só para mim. E eu não via problema nenhum nisso.

Cansei de me iludir. Cansei mesmo. Coloquei os dois pés no chão e deixei a cabeça nas nuvens. Porque, afinal, lá de cima tudo é mais bonito.

agradecimentos

Aos meus leitores, que ainda não sabem, mas deveriam saber, que sou uma escritora que escreve melhor quando está feliz. E que graças a eles não me permito ficar triste por muito tempo. Vocês dizem que ao ler meus livros se sentem conversando com uma amiga e eu lhes digo de volta: somos amigos. Melhores amigos. E melhores amigos vão juntos até o fim. Certo?

À minha editora, Livia de Almeida, que me acompanhou por todo o processo de criação deste livro. Que cuidou, aconselhou, incentivou, deu ideias, e no final de tudo soltou um elogio que carregarei comigo por muito tempo.

Ao Thadeu Santos, do editorial da Intrínseca, que já havia se despedido de mim, mas que não se conteve ao meu pedido de trazê-lo de volta para minhas histórias. Eu me apego, sim!

À Editora Intrínseca, que realizou o meu sonho de me tornar uma escritora, e que por isso vai ser sempre a melhor editora do mundo!

Ao meu pai, Paulo André Freitas, que deu nome a este livro. Que é o homem da minha vida. Que me apoia e me incentiva a ser sempre a melhor versão de mim mesma. Que diz com muito orgulho que eu vou longe. Tudo bem, posso ir longe, mas te levo junto, viu?

À minha mãe, Regina Dias Ribeiro Freitas, que passou a vida inteira me dando bronca por eu acreditar em príncipes encantados. Eles não existem, filha! Deixa disso. Hoje eu sei, mamãe. Mas nunca podemos deixar de procurar alguém que se aproxime disso, não é mesmo? A ela, que sempre me ensinou a ser autossuficiente e a gostar da minha própria companhia.

À minha irmã, Marcella Ribeiro Freitas, que apesar de não gostar de ler, foi a primeira da família a acabar meu primeiro livro. Qual é o nome disso mesmo? Ah, amor de irmã.

Ao meu avô, Athaydes Concas Ribeiro, que hoje não está mais entre nós, mas que no ano passado, mesmo doente, se esforçou para ir à minha primeira noite de autógrafos. Nunca vou me esquecer do brilho nos olhos dele. As pessoas não morrem, se eternizam em forma de amor nos nossos corações. Te carrego comigo, vô.

A todos que um dia partiram o meu coração, me decepcionaram, pisaram e fizeram de mim quem eu sou hoje. O meu muito obrigada. Um beijo e até o próximo livro!

www.intrinseca.com.br

1ª edição	JULHO DE 2015
reimpressão	MAIO DE 2020
impressão	CROMOSETE
papel de miolo	PÓLEN SOFT 70G/M²
papel de capa	CARTÃO SUPREMO ALTA ALVURA 250G/M²
tipografia	WHITMAN